世代間
交流施設の
挑戦

保育と介護は
どのように融合しているか

一般社団法人
日本事業所内保育団体連合会

あっぷる出版社

はじめに
世代間交流施設が目指すもの

世代間交流施設とはなにか

みなさんは、「世代間交流施設」というものをご存知でしょうか。

世代間交流といっても様々ですが、本書では、保育園と介護施設、障害児施設などがおなじ敷地内にあるか、あるいは他の施設と積極的に交流を行っている施設を取りあげました。

世代間交流施設といっても、その名称は施設によって融合型施設、複合型施設など、呼び方は様々です。まだ一般的に浸透した言葉ではありませんが、近年、世代間交流を活発に行う施設が、少しずつ、増えてきました。増えてきたということは、そこになんらかの理由があります。もっといえば、子どもと高齢者がより積極的に交流することによって、様々なメリットがあるということです。

本来の社会は、お年寄りも子どもも、大人も含めて様々な世代の人が関わり合って生きています。ところが、保育園や幼稚園には子どもしかいませんし、介護施設には高齢者しかいません。しかし、現実には、子どもしかいない社会、高齢者しかいない社会というのはありえません。

取材中、それぞれの施設でよく聞いた言葉に、「子どもしかいない、お年寄りしかいない施設って、どこか不自然じゃない？」というものがあります。しかし現実には、保育と介護は別のものだと捉えられています。

では、世代間交流を行うことで、どのような効果があるのか。これは、実際に施設を訪れてみるとすぐに感じられます。そこでは子どもも高齢者も障害児も、びっくりするほど楽しそうに日々を過ごしています。お互いがいい意味で刺激を与え合っているのです。では、その「いい影響」とはなんなのか。今のところ数値化できるものではありませんが、子どもと高齢者が交わることで、お互いにどんな効果が生まれてくるのか。実際に世代間交流を行っている現場に行けば、そのヒントが見えてくるはずです。

本書では、世代間交流施設でどのような取り組みが行われているのか、具体的にそれが子どもと高齢者にどのような影響をもたらしているのかを紹介していきます。

今回取材させていただいた8カ所の施設は、社会福祉法人、株式会社、ＮＰＯ法人と、その形態はさまざまです。世代間交流へのアプローチもそれぞれ違います。しかし、どの施設も、世代間交流の可能性と、これからの保育・介護を考える上で重要な示唆を与えてくれるはずです。

※おことわり　各施設の概要は、本書の取材時点でのものです。

目次

社会福祉法人　中都 53

洛和会ヘルスケアシステム
洛和ウィズ山科小山

酒井医療株式会社
リハモードヴィラ白井

NPO法人るんるん 207

229

序章　世代間の交流が子どもの人間力を育てる

一般社団法人　日本事業所内保育団体連合会・代表理事／貞松成

子どもは、その国の「未来の力」そのものです。どこの国においても、子どもがどのような「人間力」を育みながら成長していくかは大切な問題です。

ここでいう「人間力」とは、人間関係をよくしていくための能力であり、参画している社会をよくしていく社会力です。この人間力を身につけるため、欧米諸国を中心にさまざまな幼児教育法が考えられてきました。

幼児の感覚教育に力点をおいた「モンテッソーリ教育」（イタリア）、幼児の成長過程における身体性や芸術的な感性を重視する「シュタイナー教育」（ドイツ）、幼児の好奇心の向くままに、自然に学んでいくことの大切さを説く「サドベリー教育」（アメリカ）などがその一例です。

日本にはこのような教育法が見受けられなかったせいか、従来、幼児の教育に関しては、欧米諸国に比べて劣っているという意見もありました。しかし、本当に日本の子は欧米の子に比べて劣っているのでしょうか。

決してそんなことはない、と私は思います。

日本では、江戸時代から武士の子だけではなく、町人や農民の子も学べる私塾や寺子屋が盛んでした。また、藩校も整っていました。そこで子どもたちは、読み・書き・ソロバンや礼儀作法を含めた、全人的な教育を受けてきた歴史があります。四書五経などの学問をもとに、学ぶということの意味を知り、どう生きるのかを考えるきっかけがあり、人間力を養う実学が重視されていました。

明治以降の義務教育では、小学校に入ると国語・算数・理科・社会の4教科、中学校ではさらに英語を加えた5教科ばかりを重要視した教育が行われるようになりました。学問＝5教科となっていて、実学はあまり重視されていません。しかし実際の社会では、実学が求められる場面が数多くあります。

そう考えると、子どもの自発性を育む場は、小学生になる以前の保育園や幼稚園での教育が重要になります。現に多くの保育園では、乳幼児が自発性を身につけられるような保育法・教育法が重要視されています。

たとえば、乳幼児の気持ちを察しながら、心のあり方や能力に応じて適切に働きかけていく

「誘導保育」や、乳幼児の自発性を大切にしながら寄り添い見守る「自由保育」などがその一例です。この段階で身につけた能力＝人間力が、その後の学校生活のあり方を大きく左右することになります。

世代間交流施設には複数の大人の見守りがある

子どもの自発性は、0歳、1歳、2歳の頃、周りの大人の見守りのなかで育まれていくものです。見守ってくれる大人がいることで、子どもは安心して遊べます。友だちの遊びを見て、真似をしながら同じように遊ぶようになります。一人では思いつかなかった遊びを見よう見まねで自らのものにしていきます。周りの大人が安全を保障してくれることによって、安心して遊べるからこそできる学びです。また、繰り返し同じ遊びを行うことによって、忘れられない経験となります。この経験の積み重ねが、遊びに工夫を凝らすことを可能にします。このようにして次第に自発性が芽生えていきます。単なる遊びに思えますが、遊びは学びの場であり、経験を積む場であり、創意工夫を生み出す場でもあるのです。

逆に、大人に見守られていない子どもは、つねに心に不安を抱いており、自分でものごとを判断する力を身につけることができません。不安だから、他人に良し悪しの判断を求めるのです。自分自身で判断することを放棄してしまうのです。このような子どもはいつまで経っても、「○

○やってもいいですか」と大人の判断や意見を求めてから行動する傾向にあります。

乳幼児の成長過程の重要さを解き明かしている興味深い研究調査があります。

それは、ベティ・ハートとトッド・R・リズリーというアメリカ・カンザス大学に所属している二人の児童心理学者による、子どもの発達に関する研究です。

彼らは、子どもにとって、生後7か月から3歳までの間に聞いた言葉の数が、その子の成長にどのような影響を及ぼすかについての追跡調査をしました。研究の結果、子どもに話しかける親（大人）からの言葉の数が、多い場合には1時間に平均2100語、少ない場合には平均600語となりました。このとき、単に〈おしゃべり〉というのではなく、言葉の種類が豊富かどうかが重要です。この差を30か月の合計にすると、多い場合には4800万語の言葉を語り掛けたことになります。一方、言葉数の少ない場合には1300万語に留まります。単純に計算すると、3歳までに聞いた言葉の数の違いは、なんと2000万語に及ぶことになります。

この研究調査は、学校に上ってからも続けられました。その結果、3歳までに親（大人）にかけられた言葉の数の多い子どもほど、成長してからも読解力に優れているということがわかりました。人間の認知能力の発達における決定的な違いが、3歳までに周りの大人からどれほどの種類の言葉を聞いたか、ということと相関関係があることが証明されたのです。

一日中ずーっと母親といっしょにいて、親の愛を一身に受けていても、母親だけからの言葉を聞いていた子どもには、聞いている言葉の数には自ずと限界があります。たとえ家にいるにしても、少なくとも自分のおじいちゃん・おばあちゃん、お兄ちゃん・お姉ちゃんなどが周りにいるほうが言葉の数は多くなります。さらに、自分の親、兄弟姉妹や親戚以外の大人からも言葉をかけられる環境にいるほうが、子どもにとっては、受ける言葉の数だけでなく、表現方法も含めてさらに多くの知識を得ることができます。

このように考えると、子どもの周りには多くの大人がいたほうがいいことがわかります。しかも、さまざまな価値観をもった大人がいるほうがいいのです。そして、子どもたちの遊び（という経験の学び）の対象となる大人の存在が大切になります。

この条件を兼ね備えているのが、世代間交流施設です。

本書で定義する世代間交流施設とは、複合施設とも、融合施設とも呼ばれていますが、高齢者介護施設と保育施設とが同一敷地内、ないしは隣接地域に立地している施設のことです。そこでは、定期的にであれ、不定期的にであれ、なんらかの形での高齢者と乳幼児との交流が行われています。

これらの施設において、高齢者は乳幼児と接することで、かつての子育て時代を思い起こし、自ずと若さや華やぎを得ると同時に元気を取り戻していきます。それは健康の維持にも直結します。乳幼児は高齢者と接することで、安全を見守ってもらうと同時に、多くの言葉をかけられたり、行動をともにするなどして交わるうちに、さまざまな遊びや知恵を身につけていきます。そして、交わりを通して敬いや思いやりの気持ちを学んでいくのです。

ふつうの保育園であれば、そこにいるのは子どもたちと保育士だけです。しかし世代間交流施設では、保育士という親の世代に加えて、高齢者という祖父母の世代との交流が可能になります。世代による考え方の違いに加え、多くの人のさまざまな知識を知ることができるのです。そこで話される言葉や話の内容には、母親世代の大人の言葉とは違って、長い人生を経て身につけてきた含蓄ある言葉がたくさん含まれています。時として子どもには意味の通じないこともありますが、わからないままに耳にしていることがあとで意味をもってくることもあります。

これは、とくに核家族化の進んでいる都市の子どもたちにとっては、貴重な経験になります。保育園に通うことによって、三世代が同居する家庭を疑似体験できるからです。そもそも、乳幼児だけ、高齢者だけ、という社会は、本来存在しないものだといえます。

日本の社会力を向上させるためにも

生まれたばかりの子どもにとっては、母との二人の関係が最初の社会です。やがてそこに父や兄姉、祖父母も存在する小社会が形成されます。さらに、その子どもが保育園に通うことによって、子どもにとっての社会はより大きなものへと拡大していきます。子どもは、他人との交わりが増えることによって、どんどん複雑になっていく社会に身を投じていきます。

その多くの他人がいる保育園＝社会で人間関係を円滑にしながら育っていくためには、最低限のルールがあります。ルールの基本にあるのは、挨拶などの礼儀であり、お年寄りをはじめとする目上の人や他人に対する思いやりや敬いの気持ちであり、善悪の判断＝道徳や倫理観です。また、保育園では、社会で育っていくために必要な教養を身につけていきます。ここで身につけた倫理観や教養がその子どもにとっての人間力の基礎となっていきます。

世代間交流施設の子どもたちは、日常的に高齢者が乳幼児を見守り、ともに遊ぶという場を通じて、経験に裏打ちさえた知識や知恵を得ることができます。それは、意識して教わるものではなく、交わりのなかで自然に身につけていくものです。だから、一生忘れることのない、人間力としての素地になるのです。

同様のことは介護施設にもいえます。

人は歳をとっていくことで、外出したり、人に会ったりすることが億劫になっていきます。社会に参画することはおろか、気力そのものが衰えてしまうお年寄りもたくさんいます。しかし、施設での過ごし方によっては、失なわれゆく人間関係を取り戻すことも可能になるのです。

本来、介護施設には介護スタッフと高齢者しかいません。ところが世代間交流施設には、子どもたちがいます。子どもたちは、大人にはできない方法で、高齢者に刺激を与えてくれます。

取材していてつくづく実感したことですが、多くの高齢者が子どもとの関わりをもつことによって、生きる力を取り戻しています。寝たきりの人がベッドから自然に起き上がれるようになった例、他人と関わろうとしなかった人が子どもたちといっしょに食事をするようになった例、部屋に引きこもっていた人が外に出て子どもといっしょに散歩するまでになった例。他にも多くの実例をあげることができます。

なによりも、お年寄りの表情に明るさが戻ってきます。そして、施設全体の雰囲気すらも明るくなってきます。認知症の進行がゆるやかになったという例もあります。子どもといっしょに遊ぶことで過去の記憶を取り戻し、子どもに遊びを教えたりできるようになった認知症の高齢者もいます。

このように、子どもたちと高齢者とが、世代を超えて交流することがもたらすメリットは決して少なくありません。両者にとって、ともにプラスになる世代間交流施設のあり方を、より多くの方々に知っていただきたいというのが、本書を出版するに至った動機です。子どもと高齢者それぞれが、人間関係を向上させていくことによって、日本社会そのものの社会力を高めることが可能になる、と私は考えているからです。

それではここからは、実際に世代間交流を行っている施設の様子を紹介していきます。保育、介護、障害の垣根を取り外した交流が生み出す豊かな世界に、触れてみていただければと思います。

社会福祉法人　江東園

社会福祉法人　江東園	
設立	1962年10月27日
理事長	嶋田慶三
常務理事	杉　榮一
住所	〒132－0013　東京都江戸川区江戸川1－46
電話	03－3677－4611
ホームページ	www.kotoen.or.jp
施設	
江戸川保育園（定員138名）	

江東園　養護老人ホーム（定員50名）
リバーサイドグリーン　特別養護老人ホーム（定員50名）
リバーサイドグリーン　老人短期入所施設（定員13名）
江東園　ふれあいの里　認知症対応型通所介護（定員36名）
江東園　ケアセンターつばき　障害福祉（生活介護）
江東園　ケアセンターつばき　一般デーサービスセンター通所介護（定員40名）
江東園　ホームヘルパーステーション
江東園　さわやか相談室（居宅介護支援）

KOHTOEN
江東園

江東園における世代間交流とは

地域への広がりを意識した多世代交流の施設に

社会福祉法人江東園は、東京の東の端、下町の江戸川区にあります。江戸川区なのになぜ江東園なのかというと、「江戸の東にあって、東京でいちばん最初に朝日が当たる場所にお年寄りと子どもの楽園を作りたい」ということで、初代理事長の嶋田正治さんが名付けたそうです。

嶋田正治さんは、江戸川区に所有していた千坪の土地を、社会のために使えないかと考えていました。その結果、世代を超えた地域の人々の交流を図れないか、ということでこの地に最初につくったのが、当時、養老院と呼ばれていた施設でした。

当時、江東園の周辺は低所得者層の人も多く、世捨て人のような暮らしをしているお年寄りも多かったといいます。嶋田さんは、そういったお年寄りがただ老いて生きていくのではなく、自分という存在が誰かに求められているという〈有用感〉を最後までもって、笑顔で死んでほしいと思っていたといいます。

江東園は、1962年に認可を受け、江戸川区では2番目の特別養護老人ホームとなります。そして1970年代に入り、地域でも子どもを預けて働く女性が増え、保育のニーズが高まったことを受け、1976年に江戸川保育園を開設しました。これが、江東園の世代間交流のスタートになります。

現在、江東園では一つの建物の中に、子どもとお年寄りの施設が同居しています。3階建ての建物の1階に保育園（江戸川保育園）。2階が養護老人ホーム、3階が特別養護老人ホームです。文字どおり、一つ屋根の下で、子どもたちとお年寄りが積極的に関わり、世代間の交流を日常的に行っています。また、併設されている障害者福祉施設（江東園ケアセンターつばき）とも様々な機会に交流を図っています。

具体的な交流としては、毎朝のラジオ体操と居室訪問など。季節行事として、節分、桃の節句、端午の節句、七夕、運動会、サマーキャンプ、クリスマスお遊戯会などがあります。他にも、日常の中でお年寄りと子どもが身近な存在として自然に過ごせる機会とはなんだろう？ とスタッフのみんなで常に考えて、その機会を作っています。

世代間交流施設のメリット
一つ屋根の下に二つの施設を

江東園は1989年に建て替えをして、現在の姿になりました。1階に保育園があることで、常に活気があり、賑やかな雰囲気が作られています。2階と3階にいるお年寄りたちは、園児たちの笑い声や泣き声を聞きながら、日々の生活を送っています。

本来、介護と保育は別物です。江東園でも、建て替えの際、行政から「保育所と介護施設の間には壁を設けるように」という指導がありました。しかし、江東園側は、あえて壁を設けませんでした。「子どもとお年寄りが自由に行き来できる空間こそあたりまえ」という思いがあったからです。お互いに触れられる環境があるからこそ、お年寄りは子どもをいたわる心を失わず、子どもたちはお年寄りを敬う心を育てることができるのだということです。

実際にこの施設を訪れてみると、肌でそれを感じることができます。ここでは、もともと他人同士である子どもとお年寄りが、あたかも大家族であるかのように、いっしょに暮らしています。この自由な環境こそが、人間としてのふつうの有様であることに気づかされます。

江戸川保育園の朝は、ラジオ体操ではじまります。上半身裸になった園児たちがホールに集まり、体を動かしています。そのまわりには子どもの姿見たさにたくさんのお年寄りが集まります。体の動く人はいっしょになって体操をし、車椅子の人も子どもたちを眺めています。どのお年寄りもとにかく嬉しそうです。体の動かないお年寄りも、全身で喜びを発散させています。お年寄りにとってなにより活力となるのは、子どもたちの元気な姿を見ることなのかもしれません。

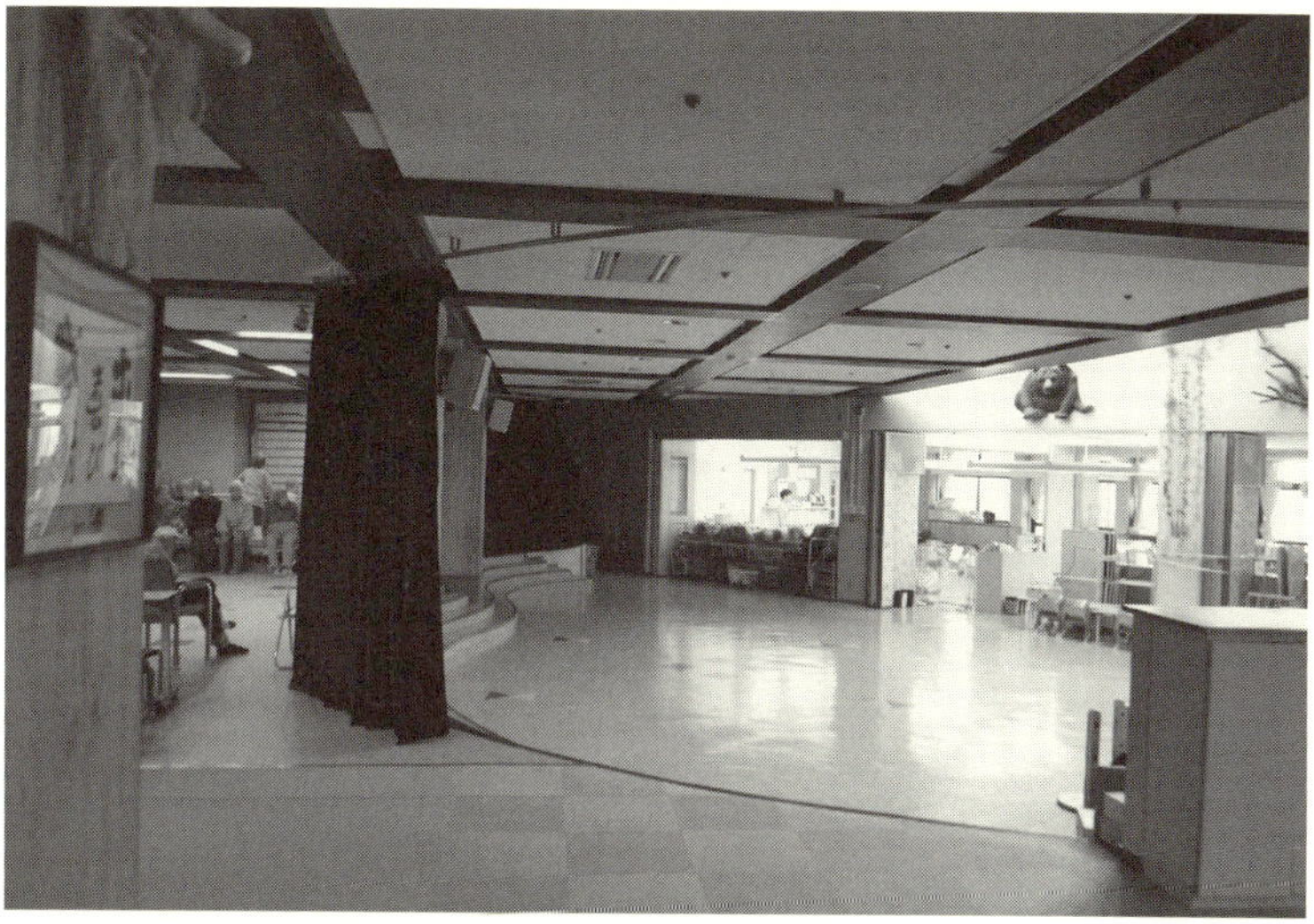

壁のないホール

保育園の朝はお年寄りも園児もいっしょにラジオ体操ではじまる

体操の前に、保育士が園児に声をかけます。

「みんなの元気な姿を、おじいちゃん、おばあちゃんに伝えましょう」

園児たちは、

「おじいちゃん、おばあちゃん、お元気ですか～」

大きな声がホールに響き渡り、お年寄りの顔にも笑顔が輝きます。

江戸川保育園の園長、杉大治さんはこう言います。

「園児に関しては、うちは体力重視ですね（笑）。学力は小学校に入ってからもじゅうぶん身につけることができますが、保育園のうちは、病気に負けない健康な体を作ること。交流により、お年寄りや他人への思いやりの心を身につけることを優先しています」

仕切のない部屋構成

お年寄りや他人への思いやりの心を身につける、という姿勢は、保育園の構造にも現れています。0歳児、1歳児の部屋には仕切を作っていますが、2歳児から5歳児までのクラスは、仕切のない空間で過ごしています。そうすることによって、年齢の異なる園児がお互いを観察し、かかわり合い、時にはきょうだいのような関係を身につけてほしいというのが、江東園の考え方です。

きょうだいの少ない現在の家族にとって、保育園で擬似的な兄弟姉妹をもつという経験は、将来のコミュニケーション能力を身につけるのに役立ち、年齢の違う園児同士の交わりから、思いやりの気持ちを育てることにも役立ちます。

江東園の特徴としては、男性保育士の役割に重きを置いているということがあります。男性保育士が園児といっしょに上半身裸になって駆け回り、時には組んずほぐれつの格闘ごっこをしたり、力いっぱい、園児と関わっています。女性の保育士にはできない、父親や兄のような役割を果たしているのです。

保育園内だけでなく、老人ホームとの間に仕切がないことは先にものべましたが、江東園が外した壁というのは、物理的なものだけではありません。

子どもはどんどん成長していきますが、お年寄りにはやがて死が訪れます。江東園では、老人ホームのお年寄りが亡くなったことを、子どもたちに、ありのままに伝えています。これは、保育園としては比較的珍しいことなのではないでしょうか。

園長の杉大治さんはいいます。

「今まで親しくしていた人が突然いなくなる。それを子どもたちに隠すのではなく、人はいずれ死んでしまうんだということを、自然な形で見せていきたいんです。亡くなったお年寄りを裏口からそっと送り出すのではなく、表から見送りたい。そうすることで子どもたちに尊厳のある死というものを教えたいんです」

江東園には、仏間もあります。子どもたちは折に触れ仏間に行き、かわいがってくれたお年寄りに向かって手を合わせます。

利用者の中には、身寄りのないお年寄りもいます。江東園では、そういったお年寄りの看取りを、自園で行うこともあります。やがて子どもたちは、お年寄りが亡くなることを、自然の出来事として受け入れるようになっていきます。

廊下には、明治通り、大正通り、昭和通りの名前が

江東園の2階の養護老人ホームには主に経済的理由・環境的理由で入所した人、3階は、身体が不自由になり介護が必要になった人を対象とした特別養護老人ホームになっています。

江東園では、年を重ねてもなるべく自分のことは自分で行うという、自立した生活環境を作ることに力点を置いています。利用者の中でも、可能な人には積極的に手伝いをお願いするようにしています。仕事をするということは、他人に喜んでもらえるということでもあります。他人に喜んでもらうことで、人は自らの〈有用感〉を保つことができると考えているからです。

養護の談話室にある掲示板には「お手伝い求む」のコーナーがあり、「お手伝いに行かれる方は職員に声をかけて下さい」というメッセージが掲げられています。メッセージの下には「保育

江東園にある仏間。ときおり園児がやってきて、手を合わせていく。

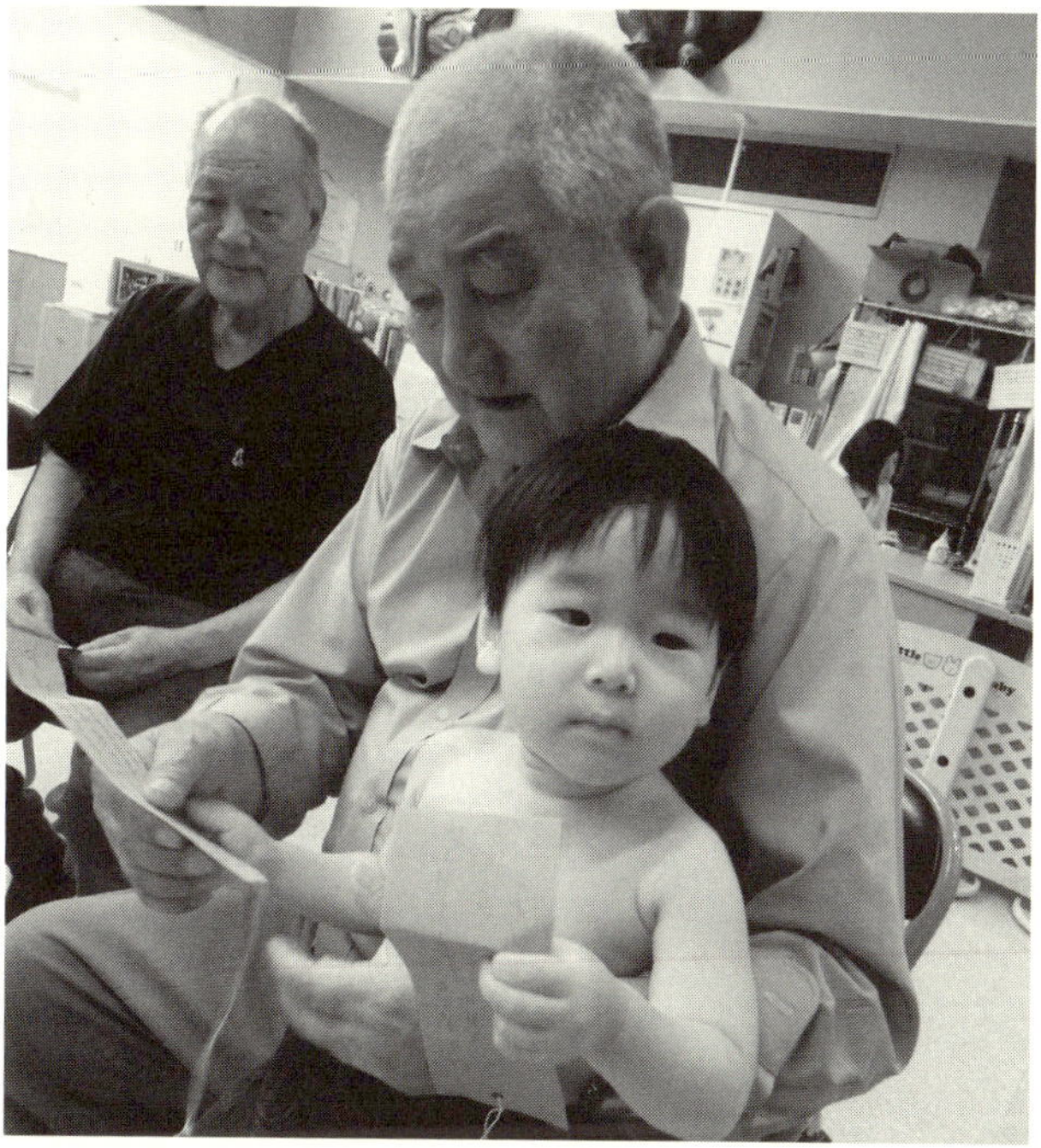

園のお手伝い」「特養のお手伝い」「くつろぎの間のお手伝い」など要項が書かれています。お年寄りは、自分に向いたところ、好きなところにお手伝いにいくことができます。

また、江東園では買い物など、お年寄りの外出は自由です。一歩外に出て買い物をするだけでも、そこでは地域の人とのなんらかの形の交流が生まれます。なるべく外に出ることによって、社会性を失わずに生活できるようになるとの配慮からです。世代、地域、園の内外を問わず、人と人とが関わることにこれほどこだわっている施設もあまりないのではないでしょうか。

たとえば、テレビも個室ではなく廊下や談話室など、人が集まるところに設置しています。もちろん、個室で過ごすプライベートの時間は大切です。しかし、テレビをいっしょに見て話をしたり、時にはそこに園児が乱入してくるなど、実に家庭的な雰囲気が感じられるのも、江東園の特徴です。

2階と3階の廊下は回廊式になっていて、廊下の壁はピンクや黄色に塗られています。最初見たときはその色に少し驚きますが、お年寄りが自分がどこにいるかを意識するのに有効とのことです。あちこちに園児が描いた絵や、園児といっしょに写った写真が貼られ、スタッフとの「ふれあい写真」なるものが貼られていたりします。テーブルや椅子も配置されていて、廊下そのものが交流の場所になっているかのような賑やかさです。

廊下にはそれぞれ、明治通り、大正通り、昭和通り、などの名称がつけられています。なじみ

共有スペースである廊下にテレビを置くことで、自然と交流が生まれる

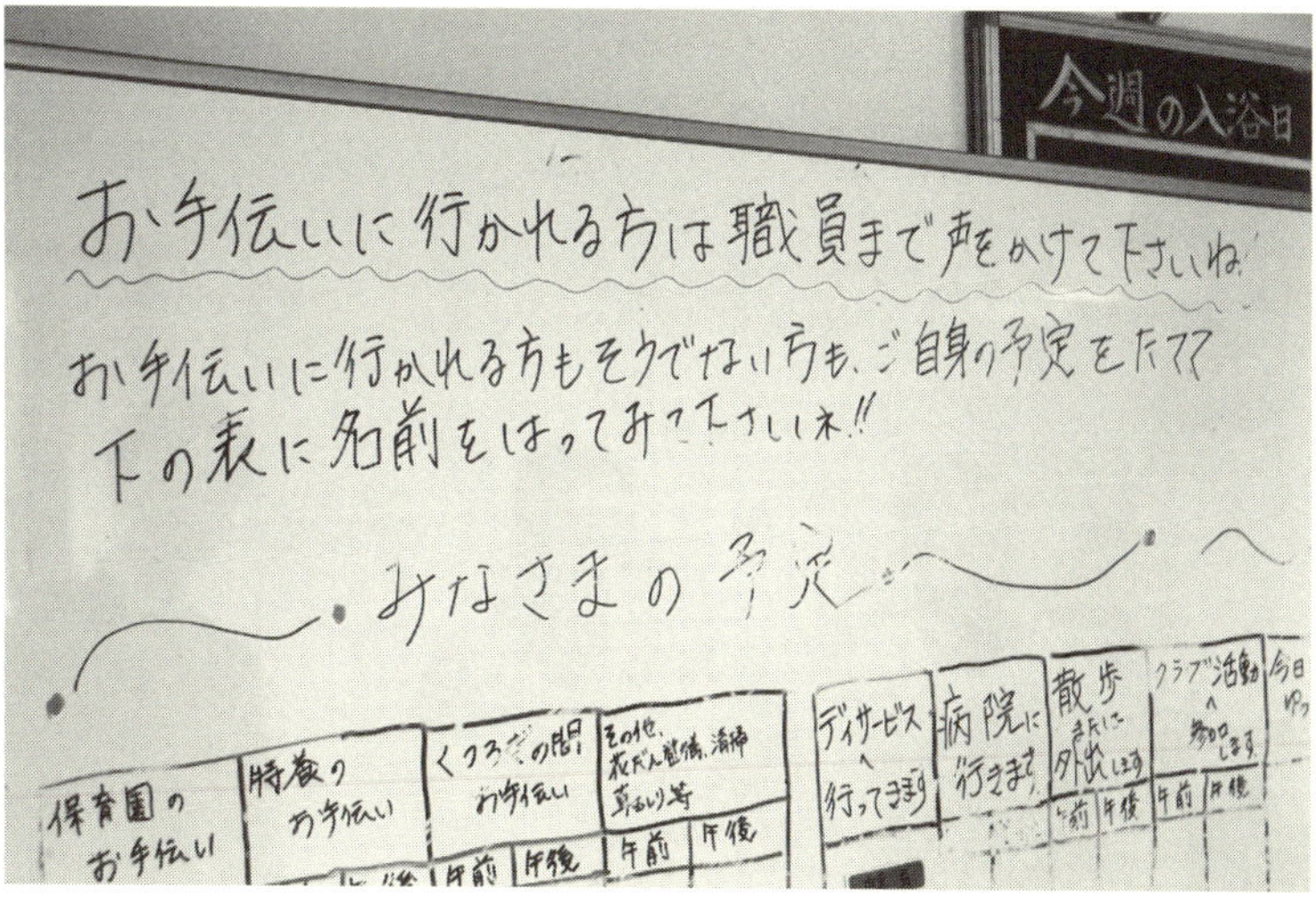

「お手伝い求む」のコーナー。様々な仕事がある

のある名称をつけることで、とくに認知が進んだ人には有効だといいます。「○○さんは昭和通りにいるよ」とか、「大正通りで待ってるね」など、スタッフだけでなく、お年寄り同士の行動もスムーズになる工夫の一つです。

また江東園では、地域包括支援の中の介護予防事業として「熟年いきいきトレーニング」というものを行っています。これは、要介護になることを防ぐために、地域の人にも開放された事業です。専門スタッフが参加者の状態に合わせたプログラムを作成し、トレーニングによってお年寄りの健康維持を図ることが目的ですが、この事業を通して地域のお年寄りと入居者の交流を図ることもできます。今後の介護施設や保育園のあり方を考えるうえで、いかにいい形で地域を「巻き込んでいく」か、は重要な課題だからです。

スタッフの意識が施設を支える この笑顔が見たいから

江東園では実に様々な世代間交流が行われていますが、これらの多くは、施設で働くスタッフの意見やアイデアから実現したものです。

世代間交流施設で働いているスタッフと、介護だけ、保育所だけの施設のスタッフの働き方にはやはり違いがあります。世代間交流施設では、お年寄りと子どもが常にいっしょにいます。たとえば、毎朝のラジオ体操は保育士主導のイベントですが、参加しているお年寄りのケアをするのは、介護側のスタッフです。逆に、特養を訪問する園児を見守るのは保育士になります。しかし、どちらか一方だけを見ていればいい、というわけにはいきません。お年寄りと子どもの両方に目を向けていなければならない場面も多くなります。

また、単一の施設では行わないようなイベントもたくさんあります。もともと、江東園は様々な業態を抱えた複合型施設です。どうしても気を遣う場面が増え、仕事量も多くなります。ところが、「世代間交流をやっている施設だからこそ、ここで働きたい」と、遠くから応募してくるスタッフが多いのも、江東園の特徴です。

では、世代間交流施設だからこそ働きたいという理由はなんなのでしょうか。実際に江東園で働いているスタッフに聞いてみると、おおむね同じ内容の答が返ってきました。それは、「子どもたちの笑顔も、お年寄りの笑顔も見たいから」ということでした。

従来の役割でいえば、保育と介護には大きな違いがあります。子どもは、これからどんどん成長していきます。長い人生を生きていくための力を蓄えさせるのが、保育園の役目です。一方の介護施設は、誤解を恐れずにいえば、人生の終わりをどう生きて、安らかに死んでいけるか、ということを考えます。ところが江東園では、利用者もその家族も園児も、もっといえばスタッフも含めて、笑顔でいたいというのです。

その笑顔の源になるのが、世代を越えた交流にあるのです。

では、具体的にどういう主旨で運営されているのでしょうか。

そのひとつが、「ふれあい促進委員会」の設置です。スタッフはこの委員会でどんどん意見をいい、様々な提案を出しています。そのコンセプトは「〝ふれあい〟とは、物質的な交流だけでなく、その交流の中に精神的な交流（心と心の交流）が持てているものをいう」ということです。具体的には、「日々の訪問活動や月に一度のオープン保育や各合同行事を通じて、利用者（老人福祉施設への入居者）と園児とのふれあいが行われるよう取り組んでいく」というものです。

江東園ケアセンターつばきの施設長である杉啓以子さんが普段から口にしていることがあります。「この老人施設に入ることによって、お年寄りに笑顔が戻ってくれるか否かが一つの指針だ」ということです。お年寄りが笑顔で生活して、子どもたちが笑顔で走り回ることが、ケアするスタッフの活力にもなり、積極的なアイデアも生まれてくるのです。

先述した「お手伝い求む」の張り紙も、亡くなったお年寄りを施設の裏からひっそり運ぶのではなく、表からみんなに見守られて出棺されるようになったのも、スタッフの意見からだったそうです。

また、創設50周年を記念して、「お年寄りの夢をかなえましょう」（50人50声）という企画もはじめました。夢は子どものものだけではない、お年寄りにも夢はあるのです。大きな紙に夢を書いて貰って、写真といっしょに張り出しました。

「墓参りにいきたい！」

「もう一度釣りがしたい！」

「鎌倉の大仏を見たい！」

「築地にいって、おいしい魚、とくにマグロが食べたい！」

張り出された紙の横には、その夢をかなえた日付が、小さく書かれていました。


また、江東園は地域との関わりも、施設の大きな役割のひとつと考えています。そのために「江戸川見守り隊」という組織を支援しています。地域包括ケアモデルのひとつとして、江戸川総合人生大学で地域福祉を学んだ人たちを中心に結成され、近隣の単身者や熟年世帯の見守り活動を行っています。これも、「ふれあい促進委員会」で提案されたことのひとつです。

この「ふれあい促進委員会」は、1年任期での委員入れ替え制です。この委員に選ばれることで、スタッフも「これまでこうしてきたけど、なんでだろう？」「もしかしたら、こう変えたほうがいいんじゃないか？」と、それまで考えていなかったような視点から、施設全体を見渡す機会が得られます。そして、介護も保育も含めた様々な立場から委員同士が話し合うことで、たくさんのアイデアを出し合い、それを実現することができているのです。

運営者からいわれるだけでなく、現場のスタッフたちが自発的な意見を出し、それが施設全体に取り入れられることによって、おそらく、いや間違いなくスタッフは成長します。成長した人間は、さらに自ら成長しようとする意欲を得ます。そして知識や技術だけでは解決できない、相手との心のふれあいを、自然に行えるようになってきます。スタッフの人間力が高まることで、施設はよりよくなっていきます。

実際に、江東園を取材していて感心したのは、笑顔で走り回る子どもたちと、それを見て満面の笑顔を浮かべるお年寄りたちの顔だけではありませんでした。お年寄りと子どもを見守るスタッフの顔にも、同じような笑顔がいつも浮かんでいたことです。

利用者にとっての江東園とは

世代間交流について利用者や園児のその親はどう思っているのか

ここまで読まれてきた読者は、世代間交流とはいいこと尽くめのように感じられるでしょう。実際、お年寄り、子ども、あるいはそれぞれの保護者、スタッフにいたるまで、世代間交流そのものをデメリットと感じている人はほとんどいませんでした。

東京などの大都市では、園児の親の多くが地方出身者であることも珍しくなく、おじいちゃんおばあちゃんと同居している子どもも少なくなります。その結果、お年寄りとどう接していいかわからない子どももいます。ところが保育園という空間にお年寄りがいることで、普段おじいちゃんおばあちゃんと接していない子どもも、その世代との関係性を作れるようになります。たとえば、たまにしか会わないおじいちゃんおばあちゃんと会っても、どう接すればいいかわからない子どももいます。ところが、保育園でお年寄りと接していると、自分のおじいちゃんおばあちゃんととまどうことなく接することができるようになるといいます。

そういう意味では、保護者の間に世代間交流に対する否定的なイメージは少なく、むしろ好意的に受け止められているようです。

お年寄りの中には、子ども嫌いの人もいます。「子どもはすぐ泣き叫ぶので煩わしい」「いちいち手がかかるから面倒だ」など。「一人静かに過ごすのが好きだ」という方もいます。これは人それぞれですから、しかたありません。

江東園では、そういったお年寄りに無理やり子どもといっしょにいさせるようなことはしていません。一人で過ごすのが好きだというお年寄りも、それはそれで自由です。ところが、そういった人も、他の利用者が子どもと楽しそうに遊んでいたりするのを見ているうちに、いつの間にか子ども好きになっていたり、好きとはいわないまでも、子どもが騒ぐのに慣れてきたりするそうです。

スタッフにとっての世代間交流施設とはステップアップを図りたいのにできない現実もある

本書の取材前に、世代間交流施設で働くスタッフにとって、困ることはあるのか、なにか問題点はあるのか。といったことも想定しました。

たとえば、お年寄りと子どもの両方に目を向けなければならない場面も多くなるし、合同のイベントが多くなれば、それだけスタッフの負担も増えるのではないかと考えたからです。

結果的にいえば、取材全体を通して、それぞれの施設のスタッフから、世代間交流と自分の仕事について、否定的な意見というのはほとんど聞かれませんでした。

江東園の場合、確かにそれぞれのスタッフの仕事量は増えます。お年寄りと子どもが交わることで事故を起こすわけにはいきませんし、多くの施設ではまだまだ介護と保育は別物ですから、世代間交流を経験していないスタッフもいます。しかし、すぐに慣れるそうです。子どもを見て相好を崩すお年寄りたち。そのお年寄りにじゃれついていく子どもたち。そういった光景を見て喜ばない介護スタッフや保育士はほとんどいないのではないでしょうか。

保育園長の杉大治さんはいいます。「強いていえば、経験を積んだスタッフが、上に進んで行くときに、用意できるポストがあまりない。一般企業でいうような昇進、ステップアップがしにくい、という問題があります。うちの場合、介護のほうは施設として老人ホーム、ショートステイ、デイサービス。他に地域包括支援や居宅介護支援、訪問介護、トレーニング施設といった事業も行っています。保育のほうは、分園がありますし、障害者の生活介護も行っています。ポストはあるほうだと思いますが、それでも数は限られます。それぞれのスタッフにはできるだけ長く働いてほしいと思っています。ポストだけの問題ではないと思いますが、その土壌をこれからどうやって作っていくか。そこが悩みといえば悩みですね」

それぞれのスタッフが、自分のスキルアップを意識し、それを活かしたいと思うのは当然のことです。昇進したい人もいるでしょうし、他の施設に移ってさらにスキルアップしたいというスタッフもいるでしょう。

「だからこそ、うちはスタッフの教育には力を入れるようになりました。研修も多くなりますけど、明らかにスキルは高くなりますし、そのぶん待遇もよくなります」

介護職や保育士のやりがいとはなにかと考えたときに、最終的には、利用者や子どもたちがどれだけ笑っているか、ということになるのかもしれませんが、仕事におけるスキルアップを充実感と間じる人もいるでしょう。実際、それまで江東園でも離職率は高かったそうです。しかし、スタッフ教育に力を入れるようになってから、２０１４年、２０１５年の保育園従事離職者は、ゼロだったそうです。

人材の確保と今後の経営について

経営における問題点

現在、保育においても介護においてもいちばんの問題といえるのは、人手不足ということになるでしょうか。経営の問題点ともあわせて、保育園長の杉大治さんにうかがってみました。

「江東園には現在、約300名のスタッフがいますが、より目の行き届いたケアをするには、もっと人手が必要です。今のところ保育のほうは大丈夫ですけれども、介護のほうは足りない状態です。正直、スタッフの確保には苦労しています。うちに限らず、介護と保育の世界は今はどこでもそうなのではないでしょうか。優等生でなくてもいい。必ずしも知識や経験がなくてもいい。相手を思う気持ちさえあれば、知識やスキルはおのずと身についてきますから。どんどん応募してきてほしいのですが。

もともと江東園では、スタッフが積極的に発言し、企画提案をしていきます。スタッフ一人ひとりが考えて動いていけるような教育をしているつもりです。逆に、それなりのモチベーションがないと、世代間交流施設ではもたないかも知れませんけれども。

経営ということについては、うちは社会福祉法人ですけれども、正直いって、もっと施設整備積立や人件費積立を増やしたいという思いはあります。というのも、うちの場合、総収益における人件費の割合が73パーセントになります。ふつうあり得ない数字です。病院で40パーセント、一般企業で30パーセントといわれていますから。社会福祉法人が利益を求めるのはおかしい、人件費の割合も高くて当然だという考え方がまだありますが、介護保険料を切り下げられるのであれば、営利を求める部分が少しはあっていいと思うんですけれどもね」

世代間交流施設であるということで、なにか経営的なメリットがあるのかどうか、これも杉大治さんにうかがってみました。

「同じ建物を使っているから、水道光熱費が按分支出になるとか、調理場を1か所に集中させることができるといったメリットはありますね。逆に困ることもありますよ。たとえば、直接介護職の処遇改善交付金が年間12万円出ます。これは、介護職にはつきますが、調理や相談員、ソーシャルワーカー、事務にはつかない。職場は同じなのに、もらえる人ともらえない人が出てくるわけです。一方で、２０１４年にはじまった保育の処遇改善交付金は、職員全員に出ます。ところがうちの場合、保育の調理師にはもらえるけれども、介護の調理師はもらえないということが起きる。チームで仕事をしているので、待遇に差が出るのは避けたい。なので、処遇改善対象外職員に対しては、相応の額を期末手当として支給しています。正直、財務上は厳しいですよ。でも、待遇が違ってしまうことによってチームワークが乱れるのは避けたいですから」

世代間交流を行っている施設はまだまだ少ないのが現状ですが、江東園は世代間交流のモデルケースとして知られた存在になっています。いくつも取材を受けていますし、情報発信にも力を入れています。各地から視察に訪れる人も増えています。

江東園のような世代間交流施設が、これから先どのような形で発展していくのでしょうか。現状と、これからの展望についてうかがってみました。

「私たちは、今の形が最善だとは思っていません。これが完成形ではなく、まだまだ変えていきたいし、やりたいこともたくさんあります。世代間交流施設そのものも増やしたいですし。おかげさまで少し名前が知られるようになって、各地から視察に来られます。海外からの視察も増えています。自治体から、保育園を作ってほしいと頼まれることも増えてきました。ただ、そのほとんどが保育園だけの用地しかないんですね。私たちは、どうせやるのなら、複合型の、世代間交流施設をやりたい。ただ子どもを預かるだけの施設、お年寄りをあずかるだけの施設にはしたくないんです。それだけでは世代間交流とはいえないと思っています。お互いが認め合い、相互に相乗して心が豊かになること。これができて初めて、世代間交流ということができると思います。

それと、うちは障害者福祉サービスも行っていますが、江戸川区には障害者のショートステイが他に1カ所しかない。最近は、障害者の方も親亡き後を生きる人が増えてきました。圧倒的に足りない状態です。これも作りたい。なにより、お年寄り、子ども、障害者、それぞれの交流を、施設の中だけでなく、地域全体に拡げていきたい、地域を巻き込んでこそ、最終的な世代間交流になるんじゃないかと思います。我々スタッフはたいへんですけれどもね（笑）。

世代間交流の形には、まだまだ先があると思います。人間に必要なのは、〈有用感〉です。お年寄りも、子どもも、障害者も、施設で働くスタッフも、みんながこの〈有用感〉お・も・い・

や・り・を持てるような環境を作ること。それこそが、世代間交流の最終的な役割になるんじゃないでしょうか」

今回の取材では、主に江戸川保育園と養護老人ホーム、特別養護老人ホームを見学させていただきましたが、江東園は他にも地域包括支援、ショートステイ、障害者福祉サービスなども行う、複合型の施設です。施設の中だけでも、一つの社会が形成されているといえますが、地域も含めた交流にしてこそ、ほんとうの世代間交流だと考えています。世代間交流施設のパイオニアとしての江東園の活動は、これからの世代間交流を考える上でたくさんのヒントを提供してくれることでしょう。

社会福祉法人　中都

社会福祉法人　中都	
理事長	野澤　純
住所	〒151-0073　東京都渋谷区笹塚2-31-8
電話	03-3376-1341
ホームページ	http://www.nakato.or.jp
沿革	
1975年	無認可保育園うさぎとかめ開園
1980年	社会福祉法人中都を設立　保育園うさぎとかめ認可
1990年	「出よう会」（高齢者食事会）スタート

1999年	特別養護老人ホーム・デイサービスつるとかめを設立
2001年	保育園うさぎとかめ分園を開園
2007年	グループホーム笹塚　事業開始
2007年	「出よう会II」（高齢者食事会）スタート
2013年	居宅介護支援事業所つるとかめ事業開始

施設

保育園うさぎとかめ本園（定員83名）
保育園うさぎとかめ分園（定員33名）
特別養護老人ホームつるとかめ（定員50名）
ショートステイつるとかめ（3名）
グループホーム笹塚（定員18名）
デイサービスつるとかめ（定員30名）
居宅介護支援事業所つるとかめ

中都における世代間交流とは
0歳から100歳までが一つ屋根の下で

社会福祉法人中都の創設者である岡八代美さんと夫の洋さん夫妻が考えてきた施設のあり方とは、お年寄りと子どもがあたりまえのようにいっしょにいる施設をつくることでした。お二人は、1975年に無認可保育園「うさぎとかめ」を創設した当初から、いずれは老人介護施設を開設して、子どもとお年寄りの施設を一つにすることを考えていました。三世代、四世代にわたり、人が同じ屋根の下で暮らしている、というかつてはごくふつうにあった家族関係こそが、人としてあたりまえのあり方だと考えていたからです。

こういうと、「三世代が同じ屋根の下に住んでいて、毎日仲良く、賑やかに過ごしている素晴らしい家族」みたいなイメージをもたれるかも知れません。しかし、実際の家庭は必ずしもそうではありません。親子やおじいちゃんおばあちゃんが、数日間、あるいは1週間も顔を合わせないこともありますし、毎日毎日賑やかに会話しているような家族ばかりではありません。だからといって、家族に不和があるわけではありません。それぞれの家族が、空気のように同居していて、必ずしも顔を合わせなくても、お互いの健康や安全を気づかいあっている家族もあります。

この関係を上手に保っているのが「中都」です。

中都では、毎日のようにお年寄りと園児とが交流するということはありません。施設の1階部分にある保育園で遊んでいる、元気な子どもたちの叫び声や泣き声は、2、3階部分にある老人施設にも届きます。それだけでもお年寄りたちは、子どもたちが元気にしている光景を思い描くことができます。

世代間交流といっても、無理やりくっつける必要はない、という思いが中都にはあります。いつもそこには、「子どもは年寄りのオモチャじゃない」という岡さんの考えが生きています。いつもいっしょにいる必要はないのです。子どもとお年寄りとが安心していられる、ほどよい距離感も必要だというのです。子どもは時にお年寄りがいることに怖気づくことがあります。お年寄りは時に子どもを溺愛しすぎてしまうこともあります。中都は、そんな関係を不自然なものと考えています。「お互いが無理することなく一つ屋根の下に住む」という雰囲気を感じられる施設になっています。

だからといって、両者の交流がまったくないというわけではありません。節分、七夕などの季節行事、納涼祭や敬老会、運動会、演芸会などの機会を通して、園児とお年寄りは交流を図っています。このような特別の日を設定することで、お年寄りも子どもも改まった気持ちをもってお互いに接することができるのです。日常と非日常を区別することによって、新鮮な気持ちで交流することができ、生活にアクセントが生まれます。

岡さんはいいます。「子どももお年寄りも、いってみれば弱者です。その弱者の立場になって配慮することが、私が考える福祉の基本です」。この理念が、施設の中に受け継がれているように思えます。

世代間交流のメリット

弱者の立場になって福祉を続ける姿勢

無認可保育所としてはじめた「うさぎとかめ」以来、社会福祉法人中都は、東京都や渋谷区と時には齟齬をきたしながら運営を続けてきたこともあり、弱者の立場ということを身にしみて感じてきたのが、創設者である岡八代美さんです。しかし、必ずしも都や区に反対ばかりしているわけではありません。お役所にはお役所のやり方と考え方がある。しかし、それとは違ったやり方があってもいいんじゃないか、というのが岡さんの考え方です。その考え方の根底には、都や区の基準からはずれてしまった子どもやお年寄りは、どこに行けばいいの？　だれが守ってくれるの？　という疑問があります。

岡さんは、都や区からダメといわれた子どもに手を差し伸べる、困っているお年寄りを介護する場を設けるということを実践してきました。保育園を開設した当初から、介護施設の開設を考えていたということからも、保育と介護を一つのものとして捉えていたことがうかがえます。

保育園と介護施設が同居しているということは、中都にとっては、目新しいことでも不自然なことでもありません。０歳の乳児から１００歳のお年寄りまでが、まるで自分の家で暮らしているかのように、気楽に自由に過ごせる空間があってあたりまえ、という発想なのです。「世代間交流」とことさらに構えるのではなく、昔から培われてきた育児から老後介護までのノウハウが、自然に醸成されていく空間をつくれればそれでいい、という考え方です。

年間通して何回か催される子どもとお年寄りの交流会も、一般の家庭でごくふつうに行われている行事を、多少の演出は加えますが、暮らしの中の一部分として行っています。語弊はありますが、この施設では、同じ敷地、同じ空間に子どもとお年寄りがいる、ただそれだけです。ことさらに「世代間交流」をアピールすることもなく、子どもたちとお年寄りが、いい意味ですれ違い、しかしお互いの存在を認識しています。その自然体ぶりには、意気込んで取材しようとしたこちらが拍子抜けするほどでした。

とはいえ、ただ放任しているというわけではありません。自然体に見える世代間交流を行うには、施設で働いているスタッフの役割は欠かせません。二つの世代をつなぐ役割を果たさなければならないからです。スタッフの心配りが行き届いていることによって、利用者である子どもやお年寄りは、安心してに快適な生活が送れるのです。

保育園うさぎとかめ
子どもがその子らしくいられる場所であって欲しい

保育園うさぎとかめが基本としている保育は、「健康で、みんなで仲良く遊べること。とくに、外で遊ぶことを大事に」、です。その考えが活かされるように、施設の一階部分にある保育園は、中庭を囲んで配置されています。子どもたちはいつでも自由に中庭に出て遊ぶことができます。建物に囲まれているので、都心の住宅密集地にありながら、近所に気兼ねすることなく、大声を出して遊べます。そして、中庭から響き渡る子どもたちの遊ぶ声が、建物にこだましながらお年寄りのいる2階、3階部分の居住空間に届きます。お年寄りは、子どもたちの元気な声を聞いて、元気をもらうことができます。

うさぎとかめの保育方針には、「優秀な子どもに育てることが目標ではなく、子どもが子どもらしくいられる場を設定すること」というものもあります。つまり、自由に伸び伸びと育てることが基本です。しかし、自由のなかにもルールがあります。そのルールを身につけさせることも

中庭で遊ぶ子どもたちとそれを眺めるお年寄り

大事にしています。

うさぎとかめでは、子どもたちが自分のオモチャを保育園に持ってくることができます。それは、子どもたちがいろいろなオモチャを使いながら楽しく遊ぶこと、遊ぶことと同時に、自分のモノと他人のモノとの区別をするというルールを身につけさせるためです。

日々の生活のなかで、備え付けのオモチャや子どもたちが持ち寄ったオモチャで自由に遊んだり、お年寄りに見守られながら中庭で遊ぶことなどによって、子どもは子どもなりに、ここが自分たちの居場所だという自覚をもちます。家庭という仕切りのある環境ではなく、外で自分の居場所を認識するということは、他人と自分の違いを認識しながら、自分とは違う相手を認めるという意識を育てることに結びつきます。子どもたちは、他人の個性を認めつつも、自己を主張することの大切さを学んでいくことができます。それが、岡さんの求めている、自分の居場所＝自分らしくいられる場所を築くことなのでしょう。

また、核家族に育った子どもにとって、初めてのお年寄りとの出会いにはやはり気後れというか、もの怖じするというか、気がひけてしまうこともあります。しかし、保育園で幼いころからお年寄りとふれあうことによって、お年寄りに対する垣根のない子どもに育っていきます。それと同時に、敬う、思いやる、という気持ちも徐々に身につけていきます。

新しい歌を覚えた時などには、子どもたちがお年寄りの前で歌を披露したりもします。お年寄

合同イベントでいっしょに遊ぶ

りはそれを喜んで見守っています。そんなお年寄りの姿に、子どもたちは親近感を覚えていきます。それは、演芸会、運動会などの時にもいえます。お年寄りが喜ぶほどに、子どもたちの笑顔も増していくからです。

世代間交流を意識するでもなく、ごく自然な人としての営みを一つの施設に取り込むという試みは、子どもの成長に大いに役立っているように思われます。しかも、東京のほぼ真ん中に位置する渋谷区で、昔の田舎の大家族のように生活を営んでいる様子には、子どもには計り知れない財産になるのでは、と思えます。もちろん、子どもたちはそんなことを意識して保育園に通っているわけではないのでしょうが……。

特別養護老人施設つるとかめ

それぞれが自分の思いどおりに過ごせる空間

特別養護老人ホームつるとかめは、保育園やデイサービス施設の上、建物の2階、3階部分にあります。回廊式の廊下になっていて、散歩気分で建物を一周できます。廊下の外側がお年寄りの部屋です。介護施設でこのような回廊式の廊下はよく見かけますが、施設を紹介してくれた特別養護老人ホームつるとかめ施設長の森仁哉さんは、「かつては、認知症対策には回廊式がよい、とされていたのですが、いまはそうではなくなってきたという意見も多くなってきました。〈どうしましたか？〉〈なにがしたいの？〉〈どこに行きたいの？〉などと、本人の意向を確かめながら、その人の気持ちに副ってやることが求められるようになってきています」と説明してくれました。そう考えると、介護士の負担も重くなっているのかも知れません。

スタッフは、建物の中心部分にある部屋に常駐しており、すぐに各部屋に出向くことができるようになっています。中央部には、洗濯・汚物処理室、調理室、介助浴室、機械浴室、リネン室などが集中しており、目配りのよい介護ができる体制が作られています。

つるとかめは、全室が個室。ベッドと簡単な棚が設えられているだけで、入居者があとから自由にレイアウトすることができます。ソファーを持ち込むことも、タンスを運んでくることも、テレビを置く人もいます。なかには、仏壇をもってきた人もいます。室内で家族や友人とくつろいで歓談することもできますし、いっしょに食事をすることもできます。

朝昼晩の食事は、各階で各人の好みに合わせて調理し直しています。できるだけ流動食にしないで、噛み砕きながら食べられるよう、それぞれの体調に合わせ、工夫しながらつくっているといいます。一手間をかけることで楽しく食事がとれるようにとの配慮です。体力や栄養のことだけを考えて食事をとるより、楽しくとれることのほうが幸せです。スタッフにとっても、笑顔でおいしそうに食事している人の姿を見たいものです。

私たちが訪ねたのはちょうど夕食の時間帯でした。館内に料理の匂いが漂い、食事を待ち遠しそうにしている様子のお年寄りが食堂に揃っていました。みなさんきっと、食事が楽しみなのでしょう。

つるとかめでは、一日の生活は基本的には自由です。午前中は散歩や風呂に入るなどして身体を使い、昼食をとったあとは昼寝をするなどして、思い思いに一日を過ごします。その間にも、中庭からは子どもたちが動く姿を感じられます。都心にありながら、開け放たれた縁側に射しこむ太陽のぬくもりを浴びて寝ころび、どこからか聞こえてくる子どもたちの遊んでいる姿を思い浮かべ、心やすらかに寛いでいるような、どこか懐かしい光景を思い起こさせてくれます。

ふだんは、このように自由気ままに過ごしているお年寄りも、子どもたちとの交流会ともなると、やはり目の色が違ってきます。お年寄りにとっては、子どもといっしょにいることがなによりの元気の素。子どもの輪に入った途端に、相好を崩して子どもに近寄っていきます。他の入居者とあまり会話をしないような人でも、子どもにはかんたんに心を開くのです。

お年寄りに接する子どもたちの姿からは、どこかしらお年寄りに対するいたわりのこころを感じ取ることができます。自分の家族ではないお年寄りとの繋がりを通して、子どもなりに大切なことを学んでいるのです。単体の保育園、介護施設ではなかなか見られない光景です。

　また、施設内の交流だけでなく、地域との交流もあります。中都では、「出よう会」という催しが月に1回行われています。これは、1990年にはじめられた、地域の高齢者を対象とした食事会です。（現在は、2007年に再スタートした「出よう会Ⅱ」）。どうしても閉じこもりがちになるお年寄りの外出機会を増やすとともに、食事を通じて、地域の人びとの出会いの機会をつくろうという意図で行われています。季節の料理などを盛り込みながら、7、8種類の料理が並ぶ、ちょっと楽しい食事会です。食事会は、建物の地下にあるホールで行なわれており、施設の人の作品の展示とともに地域の人びとの作品の応募・展示なども企画しています。毎月40名前後の人が参加しています。

　また、「ささはたカフェ」という催しも、月に一度行われています。これは、近隣の商店街と協力して、近くの大学やボランティアもいっしょになって開かれるもので、子どもも大人も高齢者も誰でも気軽に参加でき、子育てや介護について相談できる、地域がつながれる場所になっています。

　これらも、地域に密着した福祉のあり方を考えている中都の姿勢が色濃く表れている活動の一つです。

スタッフの意識が施設を支える
人と接する仕事の基本は、やさしさとやる気

施設利用者の気持ちを最優先する中都にあって、もっとも苦労が絶えないのはスタッフでしょう。これは、どこの施設においてもいえることです。園児やお年寄りを相手に、一日中身体を動かしているたいへんな仕事です。しかし、「0歳から100歳までがわが家のように気楽に自由に過ごす施設」を実現するために必要なのは、何気ないスタッフの補助なのです。とくに、お年寄りに対する何気ない心配りほどむずかしいことはありません。

現在、中都では、保育士、介護士を中心に、看護師、調理師、各パートさんなど、およそ100人のスタッフが働いていますが、交流イベントの時は、職種の枠を超えての作業になります。園児とお年寄りの双方が喜んでくれる会を催すためには、それなりの下準備が必要です。準備したにもかかわらず、うまくいかないこともあります。成功したか否かの基準は、子どもとお年寄りがどれだけ喜んでくれたか、になります。

非日常的な行事としての交流会での喜びをつくり出すのは、あるいは簡単なのかも知れません。それは、一時的な催しの場合はそのときだけ気を張り詰めていれば、乗り切ることも可能です。むしろ難しいのは、ふだんの生活のなかでの下準備、心配りだといいます。

地下にある広々としたホール。様々な用途に使われる

日常的に「社会的に弱い立場にある人に手を差し伸べて関わる」ということは、周りにいる人のふだんの行動に目を配り、相手の気持ちを察しながら補助する、ということを意味します。おそらく、一つひとつの動きだけを追いかけていたのでは、スタッフもすぐには行動ができません。無意識のうちにも身体が動くようにしなければ、適確な対応ができないからです。

中都の創設者であり、先代の理事長であった岡八代美さんは心の底から、つねに弱い人の立場に立って対応することの大切さを、スタッフにも求めてきた人です。おそらくそれは、マニュアル化できない保育や介護のあり方であったようです。

たとえば、子どもに接することの上手・下手は、馴れ・不慣れや、好き・嫌いに関係しています。問題は、子どもにあるのではなく、あくまでも保育士の心のあり方にあります。岡さんは、相手を思いやる気持ちをもつことで、相手に慣れ、相手を好きになれる、と考えたのでしょう。

そして、人をやさしい気持ちにさせる原動力は、その人のやる気だ、といいます。

最初は、相手を思って動くことが、「面倒くさい」「しんどい」と思っていても、だんだんその動き方に慣れ、3年から5年くらい続けていると、自ずと仕事のやり方を身につけ、要領がわかってくるといいます。そして、相手から近寄ってくれるようになると、こちらの心も自然に開かれて、相手に素直に向かっていけるようになります。さらに、周りから「相手との接し方が上手ですね」などと評価されることで、どんどんやる気が出て、ますますやさしくなれるのです。

おそらく、この段階に達することで、無意識のうちにも、相手の気持ちを最優先して保育や介護に当たれるのだと思います。

このレベルに達するまでの能力をスタッフに求めているのが、創業者から事業を引き継いだ、現在の理事長である野澤純さんの思いです。

野澤さんといっしょに事業を引き継いだ特別養護老人ホームつるとかめ施設長の森さんは、「だれも辞めない職場にしたい」といいます。それは、豊富な経験を兼ね備えたスタッフがいてこそ、中都の社会福祉法人としての理念が果たせる、という思いにもつながります。経験を積んだスタッフが一人抜けたあと、その穴を埋めるのは、思っている以上に大変なことなのです。

利用者にとっての中都とは
自由に出入りできる気楽な施設

多くの保護者にとって、保育園でのお年寄りとの交流は、人との出会いを大切にするということや、お年寄りを大事にするという気持ちを育てるということからも、喜ばれることが多いといいます。うさぎとかめのある渋谷区のように、都会の真ん中に住み、自分の両親とも離れて暮らしている親たちにとっては、子どもにいい体験をさせている、との思いが強いようです。
シワだらけのお年寄りとはじめて身近に接しておどろく子どももいます。家に帰って、「保育園におじいちゃんおばあちゃんがいっぱいいいたよ〜」なんていう会話が交わされることもあるそうです。しかし、世代間交流の施設に預けることをメリットと捉えている親が多いのも確かなようです。

毎日訪れる保育園という施設は、子どもだけでなく、親にとっても身近な場所です。うさぎとかめには、親たちの世代が遊んだであろう昔のオモチャが今もたくさんあります。そんなオモチャに懐かしさを覚える親もたくさんいて、保育園でオモチャ話に花を咲かせている光景も見られます。ちょっとした工夫といえばそうですが、こんなところにも、世代を超えた交流のあり方を考えている施設の意図が見られます。学校帰りに立ち寄れるように、卒園生に園を開放しているのもそのひとつです。夏には年長さんと小学生のキャンプを行ったり、運動会などの行事に卒園生が参加したりもします。

うさぎとかめは、卒園した児童に毎年年賀状を送っています。住所がわからなくなってしまった子どももいるようですが、そんな心配りを続けてくれることも、子どもたちにとっては嬉しいことですし、世代を超えたつながりをもつきっかけにもなります。

高齢の親を預けている家族にとっても、「つるとかめ」は自由に出入りのできる施設として、好感をもたれているようです。都心にあることも便利さの一つですが、気軽に訪ねられて室内でゆっくりできる自由さは魅力です。部屋でゆっくりとお茶を飲むこともできますし、時には食事をいっしょにすることもできます。

入所をためらっていた家族も、自分より年上の人が楽しそうに、元気に過ごしている姿を見て、安心します。とくに、どこからともなく子どもたちの声が聞こえてくる環境が、年老いた親にとっては、元気の糧になっていると感じるようです。

世代間交流とは関係ありませんが、自分の親の最後の看取りのとき、延命処置を取るか取らないかと問われて、判断に困ることもあります。「だけど、つるとかめのスタッフはそういう悩みにもじっくりと耳を傾けてくれる。自分の親の死ぬときにまで心を砕いてくれているのだ」という思いを抱いたという家族の声もありました。

スタッフにとっての問題点
言葉にできない思いを伝えたい

中都にとっては、園児とお年寄りの交流会は大切な行事です。年間、数回行われる交流会では、職種を越えて準備をしなければなりません。双方の施設で働くスタッフにとって、ほかの職種の人と交流できることは、自分の仕事を見直せるいい機会だという声もあります。しかしこれは、本来の仕事外に行わなければならないことでもあります。その分、仕事が増えるということを意味します。

これらの行事を前に、当初、多くのスタッフが考えることは、この作業が自分にとってプラスになるのか、マイナスになるのか、ということだそうです。そして、この問題に直面し、何度かの経験をした結果として、一つの結論に行きつくといいます。

それは、自分のために仕事をしているという意識が強い間は、プラスになるとは考えられなかった、という意見です。大変な思いをしながらも行事の下準備を続け、何年もそれを繰り返しているうちにやっと、「相手に喜んでもらうため」にはどうすればよいのか、という考えに至れるようになったといいます。そして、子どもやお年寄りの喜んでいる姿を見たときに、「ああ、この行事がうまくいったんだ」と思えるようになるといいます。

そうなると、これらの行事は、スタッフたちにとっては苦痛でも何でもなく、一種のレクリエーションになってくるのだといいます。その結果、行事の準備にも積極的に関われるようになるというのです。

保育や介護の仕事は、人との関わりこそが仕事だといえます。ここに、ほかの業種との大きな違いがあります。しかも、中都のように乳幼児からお年寄りまでがいっしょに過ごしている施設では、なかなか想像しにくいさまざまな出来事が起こります。乳幼児はまだ言葉そのものを覚えていません。一方のお年寄りになると、認知症が出てきたりして、思っていることが言葉にならなくてイライラする場面に遭遇することもしょっちゅうです。言葉だけでやりとりすることはできないのです。そんなときに、子どもやお年寄りがなにを求めているのか。それをどう察して、自分は何をすればいいのか。本当に難しい仕事だと思います。しかし、それこそが保育や介護の仕事の醍醐味といえるのかもしれません。

あるスタッフはこんな考えを紹介してくれました。

「福祉の仕事には、言葉だけでは伝えられない部分があります。教えられたり、指示されたりしてやるだけではわからない部分があります。確かに、マニュアルや本や研修や技術があったほうがいいんでしょうけれども、この仕事にはそれだけでないなにかがあります。それは、言葉にできないものです。その言葉にできないものを、いちばん相手に伝えたいのです」

目の前にいる人を喜ばせること、楽しませること。それは、必ずしも言葉にして伝えられるものではありません。だからこそ、身につけることが難しいともいえます。諸先輩の後ろ姿を見ながら、徐々に身につけていくしかないものです。

しかし、現実は厳しいといいます。

中都に限らないことですが、せっかく仕事が一人前にできるようになったころに、なんらかの理由で辞めていく人もいます。今の保育と介護を考える上で、施設単体、スタッフ個人、ということだけでなく、子育てや育児、政策や国家を考える上でも、重要な問題であることは間違いありません。

経営における問題点

人としての生き方を考えるべきとき

中都には、先代の理事長である岡八代美さんの理念がまだ色濃く残っています。しかし、施設も生き物です、運営側にもスタッフも世代交代というものがあります。時代に応じて、施設が変わっていく必要もあります。「ただ、どうしても先代の理念に引きずられてしまう現状があるんですね」と、現理事長の野澤さんはいいます。理事長をバトンタッチされて間もない野澤さんは、岡さんの「オーダーメイドの福祉」という考え方の難しさにまさに直面しているのだといいます。

個人の生き方を最優先した福祉のあり方が、岡さんの求めてきたものでした。相手の望みに応じてやり方を変えていく、という考え方です。だから、中都にはマニュアルがありません。すべての理念は岡さんの頭の中だけにあったのです。野澤さんは、岡さんならこんなときにはこうした、ああはしなかった、などと思いを馳せながら、いま自分がなすべきことを模索している時期だといいます。

長年、中都で働き続けてきたスタッフにも同様のことがいえます。前理事長の岡さんの理念を大切にしつつ、これからどう変わっていくか、という悩みです。施設としての中都は、過渡期にあります。利用者や児童の親はあまり想像しにくいことかも知れませんが、保育園も介護施設もひとつの組織です。知らないところで、様々な試行錯誤が行われているのです。

しかし、中都には、しっかりした骨格があります。

それは、適度な距離感を保った世代間交流という原則です。

毎日起こる事態や要望に応じながら、いかに中都のあるべき福祉を目指すかということです。

現在のいちばんの問題は、退職者をなくすことだ、と施設長の森さんはいいます。せっかく保育や介護の能力を身につけても、スタッフに辞められてはいつまで経っても中身の濃い福祉活動ができないからです。スタッフの心が行き届いた気持ちのよいケアが、園児やお年寄りに満足してもらえる基本だからです。利用者が満足してくれれば、施設を利用したくなる人も増えてくるといいます。そのためには、確かな仕事のできるスタッフの確保は重要です。また、働き続けることでスタッフは成長し、職場に満足してもらえる環境を築くことも可能になるのだといいます。

また、介護施設で案外難しいことのひとつに、利用者の最後をどうするか、ということがあります。つるとかめでも、入所者が高齢になることにより看取りの機会が増えてきました。最初のうちは戸惑うスタッフも多いといいますが、だんだん看取りに立ち会ってくれるスタッフが増えてきたそうです。「最後に立ち合えてよかった」「あまり苦しまずに逝ってくれてよかった」という声も、スタッフから聞かれるようになりました。

利用者の親族に対しても、機会を見つけて「最後のとき、延命策を取りますか」などの質問をするようにしているといいます。家族としては、「いまは考えたくない」「そのときになってみなければわからない」との答えも多いといいます。当初の考えと、その場になってから考え方が変わる人もいます。中都では、それでも構わないといいます。こんな質問は、かつてはタブーでし

子どももお年寄りも、スタッフもいっしょに

たが、人の最期をどう看取るかは、スタッフにとっても人としての生き方を考えるいい機会だというのです。

施設の運営とこれからのこと

最後に、中都の現理事長の野澤さんに、運営面の問題点をうかがいました。

「まず、特別養護老人施設と保育園との負担按分のバランスが悪くなっています。2階、3階部分の特養と、1階の保育園・デイサービス、地下部分のホールの按分を均一にしたいということです。現在は、7~8割が特養になってしまっているので。

この社会は、人、モノ、お金で成り立っています。福祉に生きるものとしては、人的部分をもっと大切に考えたい。公的な配分も、人的要素にもっと多くを割いて欲しいと考えています。

行政の、世代間交流施設に対する認識はまだまだ足りないと思います。面倒なことには関わりたくない、という姿勢が見え隠れすることもあります。保育園と老人施設との併設はいいですねと認めながらも、世代間交流による感染症を心配して、柵をつくって欲しいといわれたりします。福祉に対しては、もっと中身に立ち入った行政のあり方が求められていると思うのですが」

社会福祉法人中都は、強い理念のもと運営を続けてきた先代の理事長から、現理事長の野澤さんや施設長の森さんを中心とした、若い人たちに受け継がれました。介護や保育をとりまく環境は変化しますし、組織をどう変えていくか、という課題も出てくるようです。しかし、中都から感じた印象は、試行錯誤はしながらも、純粋に、できることをできる範囲で、じっくりと時間をかけてでも理想に向かって歩いていくのだろう、ということでした。

保育も介護も個人や家庭の問題でもありますが、地域や国家の問題でもあります。それぞれの立場から様々な提案をしあって、よりよい形の保育と介護につながればと思います。世代間交流は、そのひとつの方法になり得るのではないでしょうか。

洛和会ヘルスケアシステム

洛和ウィズ山科小山

洛和ウィズ山科小山	
理事長	矢野一郎
運営	洛和会ヘルスケアシステム
住所	〒607-8116 京都府京都市山科区小山鎮守町9-1
電話	075-595-3295
ホームページ	www.rakuwa.or.jp
沿革	
1950年	矢野医院 開設
1973年	医療法人洛和会 設立

1980年	洛和会音羽病院　開設
1982年	洛和会医療介護サービスセンター音羽病院　開設
1992年	京都市在宅介護支援センター洛和会音羽病院（現、京都市音羽地域包括支援センター）開設
2006年	洛和小山学童保育園　開設
2010年	洛和ウィズ山科小山　開設

施設

洛和小規模多機能サービス山科小山（定員25名）
洛和グループホーム山科小山（定員18名）
洛和デイセンター山科小山（定員35名）
洛和山科小山児童園（定員40名）

上記4施設の総称を、「幼老統合型複合施設　洛和ウィズ山科小山」と定める。

2011年、洛和会山科小山児童園と洛和小山学童保育園を統合し、洛和山科小山児童園（児童デイサービス室・学童保育室）」と名称変更。

幼老統合型複合施設
洛和ウィズ山科小山
洛和デイセンター山科小山
洛和グループホーム山科小山
洛和小規模多機能サービス山科小山
洛和山科小山児童園
・てくてく親子教室
・学童保育室

洛和ウィズ山科小山
洛和会ヘルスケアシステム 幼老統合型複合施設
幼老統合型複合施設
洛和ウィズ山科小山
洛和デイセンター山科小山
洛和グループホーム山科小山
洛和小規模多機能サービス山科小山
洛和山科小山児童園
・てくてく親子教室
・学童保育室

洛和ウィズ山科小山における世代間交流とは ともに支えあい、ともに生きる

京都の医療法人洛和会が運営している幼老統合型複合施設、洛和ウィズ山科小山の特徴は、大きく二つあります。一つは、小規模多機能サービス、グループホーム、デイサービス、放課後等デイサービスが併設されていて、さらに学童保育が隣接している複合施設であること。もう一つは構造的な特徴で、建物自体を、階段やエレベータを利用して移動するマンション形式ではなく、扉一つ隔てただけの平面構造にしていることです。そうすることによって、同会が力を入れている「幼老統合ケア」がより実施しやすくなるというのです。

洛和会が各地に展開しているグループホームはマンション形式が多いのですが、世代間交流を考えた洛和ウィズ山科小山では、高齢者同士はもちろん、子どもたちも交流しやすいようにと、平面構造にしています。

洛和ウィズ山科小山を運営する洛和会ヘルスケアシステムでは、お年寄りの健康状態や能力に応じて、可能な限り自立した生活が行えるように支援しています。日常生活を様々な世代の人といっしょに過ごすことが、人間の安心感につながるという考え方です。

子どもやお年寄りを対象とした施設では、安全を意識するあまり、禁止事項ばかり並べ立ててしまう傾向があります。しかしここでは、日常生活におけるちょっとした世話や、機能訓練をする程度にとどめています。そうすることで個人の意見や人格そのものを犯すことなく、それまでと同じような生活を送りやすいのでは、と考えているからです。

たとえば、洛和ウィズ山科小山では、入居者同士でも、あまり自由に行動できない人の買い物を引き受けたりすることもあります。三度の食事は、みんなが一堂に会するリビングで、自分たちで作っています。リビングの天井から電気プラグがぶら下がっており、そこに電気コンロをつないで、自分で料理をするのです。自分で調理して、味みして、自分好みの味付けで食事をする。家庭にいるときと同じ味付けの食事ができることは、心をホッとさせるものです。しかもここでは、ビールで晩酌するのも自由です。

こういった配慮は、入居者それぞれの能力や嗜好に応じて、楽しく共同生活を営んで欲しい、との思いの現われです。

そしてなにより洛和ウィズ山科小山の最大の特徴は、そういった日常生活の中に、隣にある学童保育の子どもたちが遊びに来ることです。小学校1年から6年生までの児童ですから、保育園児とは違い、自分の思いをちゃんと言葉で伝えられる年齢になります。やんちゃな年頃でもあるので、介護施設に来てなにか問題を起こしかねないという心配もあるそうですが、お年寄りにとっては、学童の訪問が大きな刺激になっているようです。それは、子どもたちが入ってきた瞬間、室内の雰囲気が一瞬にして明るく変わることで体感できます。

また、学童にとっても、親との関わり方とは異なるお年寄り（年輩者）との交流は、人との関係を広げ、会話のあり方を学ぶという意味でも貴重な体験のようです。お年寄りとの会話を通じて、相手を敬い、思いやるという気持ちが自然と生まれてきています。そして、積極的にお年寄りと交流しようという気持ちも芽生え、お互いが刺激を受けながら生活しているのです。

世代間交流施設のメリット

小学生とだから交わせる濃密なコミュニケーション

先にも触れたように、洛和ウィズ山科小山における世代間交流の最大の特徴は、グループホームと交流を図る若い世代が、保育園児ではなく学童に通う小学生だということです。自我が芽生えている小学生とお年寄りという組み合わせでは、保育園児とはまた違った、濃厚なコミュニケーションが交わされています。相手が乳幼児だと、ただ「かわいいねぇ」というだけで、お年寄りからの一方的なアプローチになってしまうこともあります。ところが小学生ともなると、一歩踏み込んだ関係になるといいます。遊び相手としても、対等な立場に近くなるのです。子どもたちも、身近にいて遊んでくれる近所のおじいちゃん、おばあちゃんという感じで、自然に接しています。

たとえば、おやつのあとの遊び時間で、学童とお年寄りがよくするのが、将棋です。素早く手を動かすことのできなくなったお年寄りを手伝って、学童がお年寄り側の将棋の駒を並べる手伝いをしたりもします。そして、勝負に挑むのですが、相手は歴戦の強者です。勝つのはいつもお年寄りのほうです。子どもたちは、「勝ちたい！」の一心から闘志を燃やし、何度も勝負に挑みます。しかし、勝てるのは5回勝負して1回がせいぜいです。その勝負を見ていた女の子からも、「わたしも、将棋を覚えたい」との声が上がり、男の子が教えたりもしています。

なかなか勝てはしないまでも、子どもたちはだんだん力をつけてきます。お年寄りは、「子どもには負けるわけにはいかない」という自負が戻ってくるのでしょうか、勝負に対する執着心が出てくるようです。集中力も増してきます。当初、10分から15分くらいで集中力が途切れてしまっていたおじいさんが、二番、三番と続けて勝負ができるほどになってきたといいます。

相手が小学生ということで手加減するお年寄りもいますが、将棋メンバーの中には、容赦のないおじいさんがいます。盤面で徹底的に子どもたちをたたきのめします。小学生とはいえ、負けると悔しいものです。やられてもやられてもリベンジに燃える子どももいて、そういう子たちが「打倒、○○さん！」とばかりに、将棋の順番を待っていることもあるそうです。将棋というより、人生を学んでいるようでもあります。

なかには、子どもが苦手なお年寄りもいます。子どもたちが遊びに来て賑やかにやっている雰囲気は、そんな人にもなにかしらの活力になっているようです。実際、子どもが苦手だからといって部屋に戻る人はほとんどいません。

ここでは、何かをしてもらったり、してあげたときには、お年寄りも子どももお互いに「ありがとう」といいあえる間柄になってきたといいます。

洛和ウィズ山科小山で行われている世代間交流を見ていると、保育園児との交流にはない濃密なコミュニケーションが、子どもと大人の間で交わされていることを感じます。少し誇張した言い方をすれば、打算の働いていない、純粋なコミュニケーションの原型のようなものです。

洛和山科小山児童園（学童保育室）
子どもの心に寄り添って

洛和山科小山児童園には、療育が必要な2歳から小学1年生までの児童を対象とした「てくてく親子教室」と、小学生が利用できる「学童保育室」があります。学童保育室には、スタッフの子どもや地域に住む子どもたち、四十数名が登録しています。学童は、日によって来ない子がいるので、1日の利用者は平均すると20人から25人になります。この中で、同じ敷地内にある介護施設と交流をしているのは、主に小学1年生から3年生の学童保育室の子どもたちです。4年生以上ともなると、自分で鍵の管理もできるようになり、一人で留守番できる子もいるので、利用者が少なくなるからです。また、小学低学年の子どもでも、お年寄りがいることで緊張してしまうような子どもは、無理に参加することはありません。子どもが苦手というお年寄りがいるように、お年寄りが苦手という子どももいるからです。子ども全員で訪問しなければいけないわけではなく、その日の子どもの気分にまかせているといいます。

学童保育室の子どもが、お年寄りと交流をもつようになったのは、２０１０年からです。当初は、限られた行事のときに、お年寄りを訪問したり招いたりして、年に2回から4回程度のイベントで交流するという程度のものでした。また、児童の下校が14時半ごろということもあり、デイサービスとの交流は限られた催しのときでしかなかったといいます。

交流が日常的に行われるようになったのは２０１５年からです。

学童が下校して保育室に到着するのが14時半から15時。グループホームのおやつの時間です。このタイミングを利用して、お年寄りといっしょにおやつを食べる時間を設けたのです。

子どもたちは、お年寄りから渡された「おやつ券」をもってグループホームにやってきます。そして、券と引き換えにおやつをもらいます。はじめのうちは、渡されたおやつを食べ、傍らにある本やゲームなどを楽しんで帰るだけでした。ところが、日が経つうちに、子どもたちに変化が出てきたのです。

グループホームの責任者である柴原恵美子さんはいいます。

「大きなテーブルを囲んで、いっしょにおやつを食べるのですが、ある日、おやつにいただいたクッキーの袋が破れなくて苦労しているお年寄りの姿を見ていた子どもがいました。つぎの日に、その子がそのお年寄りに、『袋、開けとくね』といって、袋を開けてあげたのです」

最初は、おやつの配膳はスタッフがしていました。ところがあるとき、子どもたちが「私たちも、おやつの準備を手伝う」といいはじめたのです。それをきっかけとして〈おやつおたすけ隊〉という組織が結成され、自発的にお膳を拭いたり、おやつを並べたり、おやつのあとの後片付けまで、お手伝いをするようになったというのです。

この券と引き換えにおやつをもらう

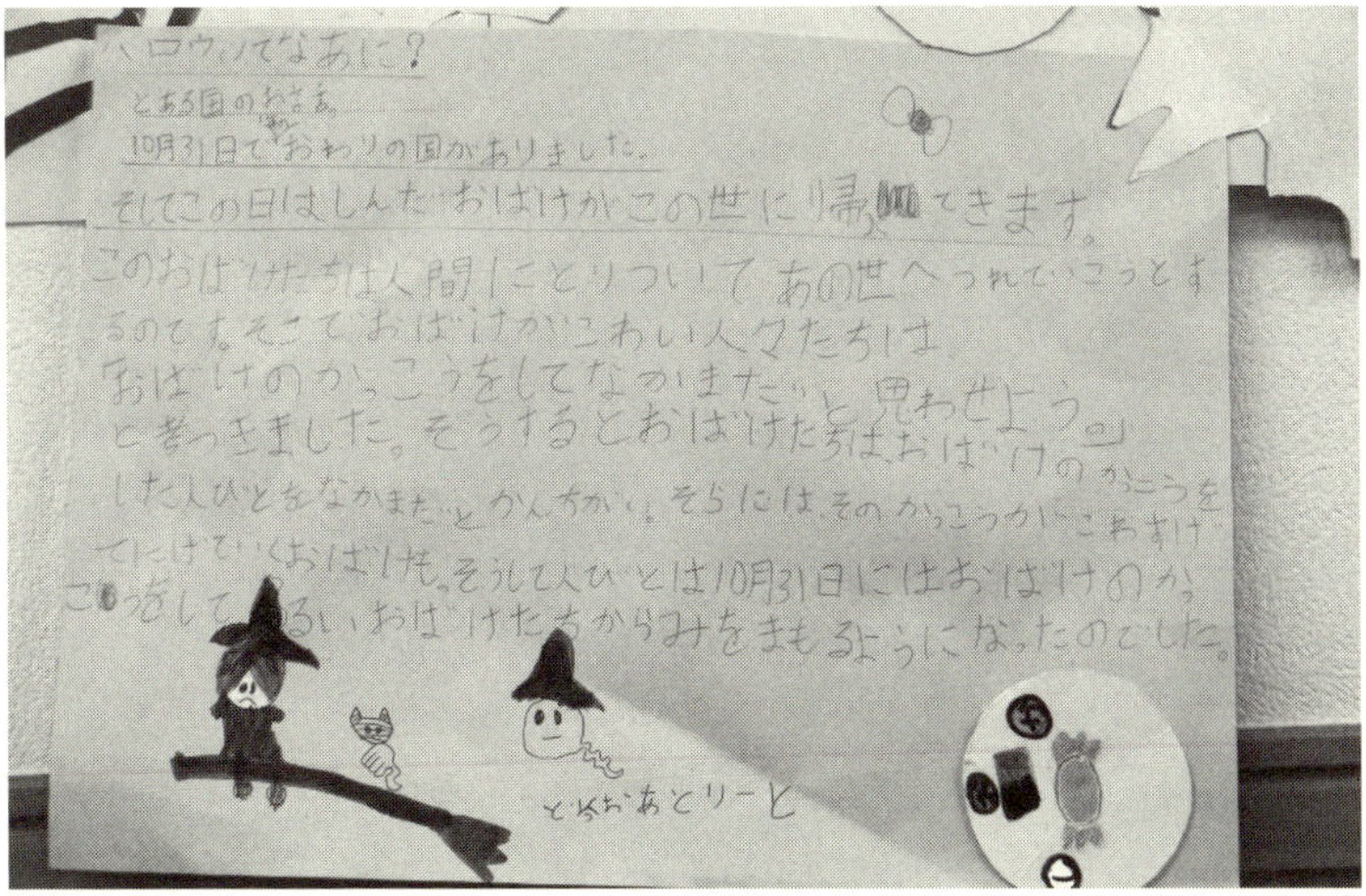

ハロウィンの説明が書かれたパネル

こういう自発的な発想や行動は、学童だからこそできることで、保育園児ではなかなかそうはいきません。

子どもたちとお年寄りの交流は、その後もどんどん深まっていきました。10月にはハロウィンがあります。お年寄りはハロウィンにはなじみがありません。「なんだそれは？」というお年寄りに、子どもたちは「じゃあ、ハロウィンのことを説明してあげるよ」と、自分たちでハロウィンの由来について調べ、紙芝居仕立てにして説明しました。お年寄りに、説明のすべてが伝わっていたのかどうかわかりませんが、子どもたちの熱意は十分に伝わってくる出来事だったといいます。その場にいたスタッフも、ハロウィンの由来を初めて聞き、上手な説明に感心したといいます。

洛和グループホーム山科小山
思いのままに過ごせる環境で

洛和グループホーム山科小山は、2階建ての建物の2階に、1ユニット9名の2ユニット、18名がいっしょに暮らしています。ユニットの間は壁で仕切られていますが、夜間を除いて、入居者は扉を開けて自由に出入りできます。

子どもとの交流が、行事的交流から日常的交流になって大きく変わったことは、日々に受ける刺激が全然違ってきた、ということだそうです。お年寄りは、ＡＤＬや認知の度合いに関係なく「子どもに対してなにかしてあげないといけない」という気持ちをもっています。子どものすることを、どこかで見ています。

ある日、子どもが台の上に登って、窓から外に身を乗り出して下を眺めていました。そのときあるお年寄りが、「危ない！　なんでそんなところに登っているんだ。危ないから早く降りなさい」と、まるで自分の子に怒鳴るかのように注意しました。台に登っていた子どもも、自分のしていることがよくないことだとわかっていたのでしょう。すぐに台から降りて、部屋の隅でしばらくはショボンとしていたといいます。

おやつを終えた子どもが、「ピアノを弾いていい？」といって、弾きはじめた曲にじっくりと耳を傾けていたり、カルタやトランプに興じたりして、お年寄りは子どもと過ごす時間から大きな刺激をもらいます。そして、積極的に子どもに話しかけるようになってきたといいます。

はじめて他人のお年寄りと接するとき、子どもからお年寄りにはなかなか声をかけづらいこともあります。でも、最初は恥ずかしがっていた子どもたちも、お年寄りから声をかけられることで慣れていき、お年寄りを身近に感じるようになります。いっしょにいる時間が長くなればなるほど、お年寄りも子どもたちも、同じ空間の中で自分の居場所を作り、くつろいで過ごすようになるといいます。

スタッフが心がけていること
やってよかったと思えると、継続できる

日常的に世代間交流をするようになったことで、スタッフの仕事の内容はどのように変わったのでしょうか。グループホームの柴原さんにうかがってみました。

「以前、年に数回、行事だけの交流を行っていたころは、その行事のための特別な作業に追われ、正直、作業を苦痛に感じていたスタッフもいました。本来の仕事以外のことを押しつけられているという感じがあったんです。

でも、日常的な交流に力を入れるようになってからは、スタッフの受け止め方も変わってきたように思います。いつものお年寄りだけしかいないのんびりとした場所に、突然、子どもたちがやってきて、いきなり慌ただしい雰囲気に一変します。まるで施設全体がかき乱されるような感じです。お年寄りと子どもでは流れている時間の早さというか、雰囲気が全然違いますからね。

でも、その慌ただしい時間が心地よいと思うスタッフが増えてきたのです。もちろん私たちスタッフは、お年寄りと子どもたち全体の動向を見守っていなければなりません。介護も保育も関係なく、スタッフ全員で注意を払っていなければならないのです。

行事的交流のときには、スタッフもそうですが、子どもにも『やらされ感』があったと思います。自発的な行動ではなかったからです。でも、日常的交流になったことで、子どもたちには、はじめこそ戸惑っていましたけど、しだいに自発的に行動するようになり、活発にお年寄りとコミュニケーションをとるようになりました。そういったお年寄りと子どもたちに触発されて、私たちスタッフもこの仕事に喜びを感じられるようになってきたように思います」

日常的な世代間の交流のほうが、お年寄りと子どもだけでなく、スタッフにとっても自然体で行えるということなのでしょう。受け止め方はそれぞれ違うにしても、スタッフも刺激を受けていることは、この話からも読み取れます。

また、こんな話も聞きました。

「ずっと車いすでしか移動できないお年寄りがいました。ところが、子どもたちが日常的に訪ねてくるようになってから、その人もゲームに参加したくなったんでしょう。車いすから離れて伝え歩きをするようになったんです。これには私たちもびっくりしました。そんなお年寄りの姿を見て、喜ばない介護職はいないと思います」

スタッフのミーティングも、学童とグループホーム、デイサービスの全員が集まって行います。入居者や利用者の健康状態といった共通認識のほかに、学童としてはなにができるのか、お年寄りの受け入れる体制はどうしたらよいのか、などといった打ち合わせをします。たとえば、クリスマスの飾りつけをいっしょにするに当たっての、子どもに対するアドバイスやお年寄りとの時間調節などです。

ここでは、スタッフ全員が心がけていることがあります。子どもたちには、この学童にきてよかった、と卒園してからでも思ってもらえること。そして、お年寄りといっしょに過ごすときの、ゆっくりと流れる時間を体験して欲しいということです。

お年寄りには、子どもたちの元気を活力の源として、自分の時間を楽しく、心やすらかに過ごして欲しいということ。また、お互いが、自然な形で「ありがとう」といいあえる関係を築きたいともいいます。

こうした日常の交流のなかで、お年寄りと子どもが自由に楽しく過ごしている光景を目の当たりにしたとき、スタッフにとって、「この仕事をやってよかった」という喜びになり、仕事を継続する活力にもなるのかもしれません。

利用者の家族にとっての洛和ウィズ山科小山とはいい取り組みをしてもらっている

ここでは、利用者の家族が驚くことがあるといいます。施設に入れた自分の親が、だんだん華やいでくるというのです。介護施設ですから、利用者の家族は、面倒はスタッフが全部みてくれる、と思っています。ところが洛和ウィズ山科小山では、日常生活の中でできることは自分でします。食事も自分たちで作ります。その上、毎日訪ねてくる小学生と遊んで過ごしています。これが想定外のことだったという家族もいます。しかし、それでお年寄りが活力を取り戻しているのですから、嬉しいことには違いありません。「なんでも自分でやって、子どもたちと遊ぶことがこれほど大切なことだとは思ってもいませんでした」という家族の声も聞かれるそうです。

学童のほうも、子どもたちが変わってきたという親の声が聞かれるそうです。親の誕生日にバースデーカードを贈るようになった子どもがいます。それまでなかった気遣いに、親はびっくりしてスタッフにそのカードをみせに来たそうです。子どもたちは、そんな気遣いをどこで覚えるのでしょうか。スタッフがそうし向けているわけではありませんし、この施設にいるから、といった理由だけではないのかも知れません。しかし、こういった気遣いができる環境そのものが、施設のなかで醸成されているという雰囲気は感じます。

実際、スタッフ各人のてきぱきとした動きにも好感がもてます。ここの和やかな雰囲気をつくっているのは、スタッフの動きによるものでもあると思えました。

学童保育を利用している保護者は、日常的なお年寄りとの交流をどう捉えているのでしょうか。

基本的には、いい取り組みだ、という声が多いそうです。「自分のおじいちゃんおばあちゃんとは、遠くにいてなかなか会うこともない。たまに会っても、どう接していいかわからない様子もある。でも、ここにいると、お年寄りとの接し方を学ぶことができる」「そもそもお年寄りと交わる機会があまりない。いいきっかけになるのでは」という意見もありました。世代間交流をしていることは、洛和会ヘルスケアシステムとしてもアピールしているようですが、まだまだ「世代間交流」そのものに興味を持っている親が多いわけではありません。しかし、実際に自分の子どもを通わせている親からは、好意的に捉える意見が多いそうです。

それは、子どもにとっては、親とだけの関係性から、お年寄りとの関係ができることで、大人との接触の仕方に変化が生まれるからです。人とのつきあい方に幅ができてくるのです。物怖じすることなく人と対することができますし、素直に「ありがとう」という言葉が出てくるようになります。また、年上の人を敬うような気持ちが芽ばえていると感じる場面もあるそうです。

とくに、女子の親からは、「人の面倒をよく見るようになった。積極的になった」といわれることが多いそうです。学童には、先に書いたように、〈おたすけ隊〉という係があります。お年寄りのところに行って、お膳を拭いたり、おやつの準備をしたりする係です。これに積極的に参加してくるのは女子に多く、男子のほうが引っ込み思案だといいます。保育園と違って、小学校ともなると、性別の違いが出て来るのも、また面白いことです。

いずれにしても、学童の子どもたちは、世代間交流を通して貴重な体験をしていることは間違いありません。それは、学童に子どもを預けている家族も気づいているはずです。

スタッフとしての課題
心の充足感が目標

学童では、介護や保育と違って、煩雑な事務処理が少なくなります。介護施設には、連絡事項や計画書など様々な事務があります。しかし、学童の事務処理は、保護者との連絡帳に記入するくらいです。その分のエネルギーをほかに回せるのが、学童のスタッフとしてのメリットだといいます。

また、日常的な世代間交流を行うことによって、スタッフの指針や計画の幅が広がり、自身の視点も変わってくるといいます。学童のためになにができるかを考えるだけでなく、お年寄りのためになにが効果を生むのか、を複合的に考えることができるようになったといいます。

とはいえ、柴原さんも含めたスタッフは、これで完成形だと思っているわけではありません。

今のところはまだ、おやつが目的で施設に来る学童が多いといいます。柴原さんは、もっと自由な交流の場になって欲しいと考えています。「おやつとか遊びとかはモノとしての欲求ですよね。それだけではなくて、心の欲求というものがないと、長く続かないんじゃないかとも思うんです。そうなってこそ、お年寄りも子どもも、本当に心の満足感というものが得られるのではないでしょうか」

学童の責任者である西川藍さんもいいます。「子どもたちが自発的にお年寄りのところに行って過ごそうという欲求をどうつくるか。それが私たちの仕事なのかなと思います」

おやつという「モノ」への欲求で来るのではなく、おじいちゃんやおばあちゃんに会いたくて施設に来るという、「心」の欲求をどう生んでいくか。難しいことなのかも知れませんが、本当の交流とはそういったものなのかもしれません。また、それが可能になるのが、世代間交流施設にはあるともいえます。お年寄りと子どもには、大人同士にあるような利害関係がないからです。

話は変わりますが、現在でもひとつだけ、お年寄りと子どもがほぼ一体となる時間があるそうです。

それは、テレビで「よしもと新喜劇」をみるときです。関西では世代を超えた人気番組で、放送時間になると施設にいるほぼ全員がテレビの前に集まり、食い入るように一つの画面を見ているそうです。そして、役者がコケる場面になると、お年寄りも子どもも全員が同じように笑い転げます。かなり認知が進んだ人でも爆笑するそうです。この間、お互いの間に会話があるわけではありませんが、明らかになにかが共有されているそうです。

こんな和やかな雰囲気にあるときにも、スタッフは子どもやお年寄りの管理に気をつけています。例えば認知症の人には、子どもたちが騒ぐことで、時に負担になってしまうこともあります。その日の調子で、20分くらいしか同じ状態でいられないときも、数時間、状態を保てるときもあります。スタッフには、それを見抜く目も必要です。そのためには、長い時間をかけてお年寄りと接し、その人の日常の様子や気質を把握しておく必要があります。

加えて、スタッフ同士の心の連携が大切だといいます。スタッフにももちろん個性があります。利用者との接し方もそれぞれです。しかし、各人が積み重ねてきた雰囲気やスキルが醸成されていくうちに、いつしかそれは、施設のキャラクターになっていくというのです。

ということは、現実的な話に戻ると、同じ職場で長く続けているスタッフが多いほどいいということになります。あたりまえですが、つきあいが長くなれば、意思疎通もしやすくなりますし、情報を共有できる量も増えていきます。

しかし一方で、同じ職場に長くいると、行動や思考がマンネリ化することもあります。お互いの性格や行動も把握できてしまうので、なれ合いになってしまうこともあります。時には、職場の雰囲気を変えることが必要な場面もあります。

洛和会は、病院も含めた大きな組織ですから、組織内での異動というものがあります。異動のメリットは、先述のように職場の雰囲気を変えられるということ。また、スタッフ一人ひとりが、自分のスキルアップやステップアップできる可能性がある、ということです。これは、小さな組織にはないことです。

同じスタッフで長く続けることによって作られていくよりよい雰囲気とその継続性。また、キャリアアップも含めた、個人と組織の変革が期待できること。どちらがよいかこの本で判断することはもちろんできませんが、洛和会では、現場も組織も、世代間交流を実践しながら、これからの介護と保育のあり方を考えていることは、間違いありません。

スタッフそれぞれが自分のキャリアを伸ばすためには、移動することによってステップアップを図ることも必要だからです。それは、職場がたくさんある組織であることのメリットだと思います。単体の組織・会社だとそのような異動は適わないからです。その点、洛和会という組織に所属していることは、自らのキャリアを磨き、ステップアップしてほかの部署に行くことが可能だということを意味しています。

スタッフは、世代間交流をどう捉えているか

最後に、自分たちの施設で行っている世代間交流についてどう捉えているのか、グループホームの責任者である柴原さんと、学童の責任者である西川さんにうかがってみました。お二人は、柔らかい京都弁で丁寧に答えてくれました。

西川さんはいいます。

「学童の子どもとお年寄りという組み合わせはいいと思います。私は他の保育園の運動会などを見に行ったりもするんですけれども、それこそ、かわいいね〜、ぐらいの、お年寄りからの一方的なアプローチになっているような気がするんです。でも学童の年齢になると、お互いにコミュニケーションが生まれ、しかもそれが発展していくんです。子どもたちのパワーもすごいんですけれど、それを受けて、答えようとするお年寄りのパワーもすごい。高齢者にも潜在能力というのはまだまだあるんだ！　と思いました。それを実感させてくれたのが、学童の子どもたちでした」

柴原さんは、介護職の立場から、こう答えてくれました。

「高齢者にとっては、交流のメリットは大きいと思います。正直、刺激が全然違いますから。同じ空間に子どもがいるというだけで、いきなり空気感が変わります。これは、私たちスタッフがどんなに努力してもできることではありません。中には、子どもがいて騒々しいのが嫌だというお年寄りもいるので、気を遣うこともあります。スペースが限られていますから、子どもが暴れてケガをしたりするリスクもあります。職員としてはそこにも気を遣う必要が出てきます。ただ、これは個人的な意見ですけれども、お年寄りしかいない施設、子どもしかいない施設って、そもそも不自然な気がします」

洛和会グループホームの理念は、「ともに支え合い、ともに生きる」です。ここで行われている世代間交流は、高齢者にとっても、学童にとっても、お互いにいい影響を及ぼし合っていることは確かです。残念ながら、その効果を数値化するまでにはいたっていませんが、世代間交流をこれからどう発展させ、継続させていくか、洛和会の挑戦を見守っていきたいと思います。

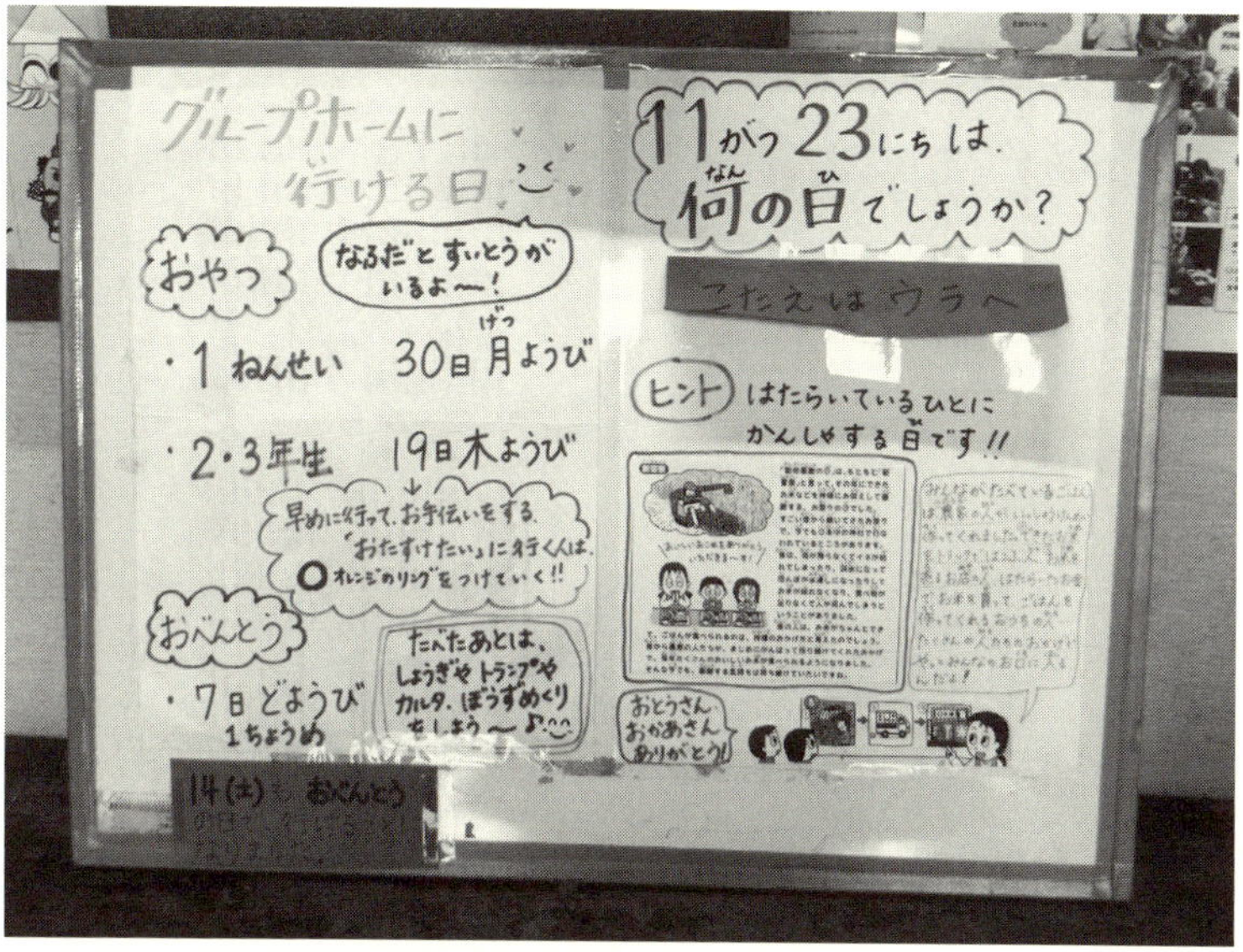

学童保育室に置かれているボード

八王子ふたば保育園

八王子ふたば保育園	
園長	山下恵理子
住所	〒193−0931 東京都八王子市台町4−4−14
電話	042−622−3403
ホームページ	http://www.hachioji-futaba.ed.jp/
沿革	
1954年	八王子ふたば保育園を開設
1957年	認可保育園となる
1998年	園舎の一部を改装

2006年	地域内にある介護施設訪問により世代間交流をはじめる
施設	
定員	60名（2016年4月1日現在で1歳の乳児から受け入れ） 1歳：9人　2歳：12人　3歳：13人　4歳以上：26人
開園時間	7：00～18：00
基本保育時間	8：30～16：30
延長保育	18：00～19：00
障害児保育	あり
一時保育	あり

八王子ふたば保育園

八王子ふたば保育園における世代間交流とは

世代を超えた人との関わりのなかで、思いやりや、やる気を育てたい

東京都の西部、八王子市にある八王子ふたば保育園は、単体の認可保育園であり、世代間交流の施設をもっているわけではありません。保育園や幼稚園の児童が介護施設を訪問する自体は割と一般的ですが、ここでは、より積極的にお年寄りや地域の人との交流を図っています。またそれを、保育園の特色の一つとして打ち出しています。

園長の山下恵理子さんは、本来保育園は地域に開かれた場所であるべきで、地域との繋がりこそが大切だと考えています。

「本音としては、近所の人、お年寄り、卒園した子、など気軽に遊びに来て欲しいぐらいなんです。でも今の保育園は、安全上の理由ということで、基本的には常にロックされている施設になっています。内から外に出ていくことはできますが、外から入って来る人に対しては閉鎖的です。でも、子どもは本来、いろいろな人との出会いを通じてたくさんのことを学んでいくものです。そういった社会性を育てていくには、地域の人びととの交流はとても大切なことだと思っています」

とはいえ、最初から交流がうまくいっていたわけではありません。地域との繋がりといっても、どのようにすればいいのか試行錯誤が続いたといいます。悩んでいたときに、ふと思い出したのが、前園長の「お年寄りは、子どもが好きですよ」という言葉でした。かつて、悪いことをしたときに近所のお年寄りに叱られた自らの経験も思いだし、お年寄りが集っている場所に、こちらから出かけて行けばいいのだ、という発想に切り替えたのです。山下さんは、まず、近くにある介護施設に園児を連れて行くことからはじめました。

「世代間交流をはじめた理由は、今となってはいろいろあるんですが、最初は、やってみたらおもしろいかな？　ということで、わりと何気なくはじめたことなんですね。やってみたらうまくいったという感じで」

実際、園児たちと積極的に外に出かけるようになってから、地域の人たちの保育園に対する垣根はなくなっているようで、園で催すコンサートや夕涼み会などにもわりと気軽に参加してくれるようになってきています。

「世代や地域を越えた交流をはじめたのは、単純な理由からでした。うちはふつうの保育園で、これといった特色があるわけではありませんでした。そこで、世代間交流を行っている保育園だということを、積極的にアピールしようと考えたんです。実際、いろいろな世代の人との交流は、子どもをたくましくします。普段あんまり接することのないお年寄りや障害者と身近に接することで、他人に対する思いやりをもつようになります。そういったことを、もっとたくさんの人に知ってほしいと思ったんですね」

デイサービス施設への訪問

子どもは、いわれただけでは、わからない

八王子ふたば保育園が最初に訪問した施設は、保育園から少し離れたところにある、認知症の方々が利用している施設でした。その後、近くにあるデイサービスや盲学校にも訪問するようになり、行動範囲をどんどん拡げていきました。続けていくうちに、世代や環境を超えた交流は、子どもにとってだけでなく、お年寄りをはじめとする相手に対しても有効だという実感がつかめてきたといいます。

最初に訪問した介護施設で、お年寄りたちは、子どもたちの訪問に大喜びしてくれたといいます。中には涙を流すお年寄りもいたそうです。介護施設の人たちも大喜びしてくれて、「ぜひまた来て下さい。できれば定期的に」ということになりました。

施設で暮らしているお年寄りは、子どもたちとの交流に忘れかけていた自分の子ども時代、あ

るいは孫の姿を思い浮かべていたのかも知れません。若さを取り戻し、はしゃぐ年寄りの姿を眼にすることは、介護施設のスタッフにとってとても嬉しいことだったのでしょう。

中には、子どもの手を取るだけでは飽き足らないのか、頭や顔に触ったり、時には、強く抱き上げたりするお年寄りもいたそうです。赤の他人のお年寄りにそんなことをされて嫌がる子どももいるのではないかと思いますが、子どもたちは平気で接していたといいます。子どもをかわいがっているうちに感極まり、嬉し涙を流すお年寄りもいました。

「あのおばあちゃん、泣いてるよ。どこか痛いのかな」と心配する子どももいたそうです。保育士はこう答えました。「人は痛いときや悲しいときに泣いたりするるんじゃないんだよ。みんなが遊びに来てくれて嬉しくて泣くんだよ」。こうして子どもたちは、人は嬉しいときにも泣くんだ、ということを知るのです。

このように、介護施設との交流はお互いにとても実のあるものでした。しかし、残念ながらこの施設との交流はあまりながく続かなかったといいます。というのも、保育園は保護者に対し、園児たちがどのように過ごしているのかを知らせる必要があります。活動報告や広報用に写真を載せたりすることも多くなります。しかし、認知症の方々が多く利用しているその施設では、個人情報の問題で、子どもたちと交流している写真を使うことに否定的だったのです。その結果、子どもたちの訪問を中止してしまったのは残念なことだったといいます。

しかし、そこで諦めてしまうのではなく、八王子ふたば保育園は、地域のデイサービス施設や、盲学校などとの交流をどんどん増やしていきました。

今回の取材では、近くにあるデイサービスセンターの訪問に同行させていただきました。

保育園から20分ほどの距離を、園児たち14人は、二列縦隊で歩いて行きます。ちょうどクリスマスの前だったこともあって、あちこちにある飾り付けを見つけるたびに子どもたちは声をあげます。通りすがりの大人に声をかけられることもあります。

徒歩20分というとそれなりの距離ですが、子どもたちは元気に歩いていきます。交通量の多い交差点をいくつかわたることになります。このとき、下を見て歩くのではなく、しっかり前を見ながら胸を張って歩くことを意識させているといいます。

やがて目的のデイサービスセンターに到着しました。保育園のスタッフが持参した消毒液で手を洗い、子どもたちは元気に挨拶をしながら建物に入っていきます。

子どもたちが入っていくなり、ずらりと並んだお年寄りの表情ががらりと変わるのがわかりました。子どもたちの訪問を、文字どおり「待ちかねて」いたのでしょう。満面の笑みがあふれています。

あとで聞いたことですが、このデイサービスのふだんの平均利用者は10人前後だそうです。と

訪問前にはきちんと手を消毒

ころが、月に1回の保育園からの訪問時は、利用申込者が15人から20人ほどに膨れ上がるそうです。お年寄りは、それほど子どもたちの訪問を楽しみにしているのです。

施設に入った子どもたちは、お年寄りの前に立ち、一人ひとり自己紹介をし、歌を歌います。子どもの歌に合わせて、お年寄りも首を振り、身体を揺すります。その場の雰囲気は、一瞬のうちに一つになります。歌が終わると、交流タイムです。同行の保育士が「それでは、みなさん、お年寄りのところに行ってお話ししましょう」と一言いうと、子どもたちは、なんのためらいもなしに、お年寄りの隣りの椅子に座って話しはじめます。その垣根のなさは、こちらがびっくりするほどです。

何度か顔を合わせているのでしょうが、それにしても自然体です。まるで、自分のおじいちゃん、おばあちゃんとお話をしているかのようです。

お年寄りに甘えている感じの子もいます。なにを伝えているのかおばあちゃんに一心に話している子もいます。「ずいずい、ずっころばし、ごまみそずい……」と歌にあわせて指を移している子どもとお年寄りのカップルもあります。

大人は相手の顔色をうかがってから近づいていきますが、子どもは相手の表情を見ることなどなく、相手の心にすうっと入っていきます。明らかに気難しそうなおじいちゃんに、女の子がひとり、なんのためらいもなく話しかけていきます。

やがて、「お遊びタイム」がはじまりました。この日は、クリスマスが近いということで、飛び出し型のクリスマスカードを作ることになっています。もみの木をかたどった紙にシールで飾り付けをし、二つ折りにしたカードに貼ります。一人でどんどんシールを貼っていく子どももいるし、お年寄りに聞きながらシールを貼る子もいます。まさに和気あいあいという感じです

「このへんが寂しいわね。ここにもシールを貼ろうか?」

「だったら、この色のシールがいいね」

「ここに、大きな星のシールを貼ってもいい?」

「そこだと、隣りのシールを重なっちゃうよ」

「うん。じゃあ、少し離れたこのへんにね」

お年寄りに遠慮なしにつっこんでいる子どももいます。子どもを膝の上にのせて作業しているおばあちゃんもいます。そうこうしているうちに、それぞれのクリスマスカードが完成しました。お互いがつくったカードを見せあい、作ったカードを自慢げに見せる子ども、その感想を述べているお年寄りも、それぞれに満足げです。さすがに年の功でしょうか、お年寄りは子どもたちが作ったカードを、とにかく褒めます。

「○○ちゃんのカード、とっても素敵よ」

「このカードは、色のつかい方がとても上手ね」

褒められた子どもたちは、とても得意そうにしています。あたりまえですが、子どもは他の大人にかわいがられたり、褒められることが、とても嬉しいのです。

ただし、時には子どもたちの知らない言葉が出てくることがあります。

あるお年寄りが女の子を捕まえて、「あんた、べっぴんさんだね～」と褒めました。最近の子どもは「べっぴん」という言葉を知りません。なにをいわれているのかわからずにポカーンとしていますが、その言葉自体の意味は知らなくても、言葉のもつ意味あいはなんとなく伝わっているようにも見えます。あまり使われなくなった古い言葉を知ることができるというのも、世代間交流の一つの側面なのかも知れません。

これで終わりかと思いきや、交流はまだまだ濃密に続きます。歌に合わせてのお年寄りとのスキンシップタイムがはじまりました。

『幸せなら手をたたこう』の歌の替え歌が流れます。「幸せなら手をさすろう」「幸せなら肩もう」「幸せならおんぶしよう」、という歌詞に合わせて、子どもたちがお年寄りの手をさすったり、肩をもんだり、おんぶしてもらったり。まさに、歌に合わせてのスキンシップです。お年寄りはもうメロメロといった感じです。

最初、車いすの中にうずくまっていたおばあちゃんがいました。半分寝ています。失礼ながら、「二度と起き上がらないのではないか」というぐらいの雰囲気です。ところが、子どもたち

年の差に関係なく、みんなおともだち

がやってきて声をかけると、そのおばあちゃんはむくむくと起き上がってきたのです。

部屋の隅には、片麻痺で表情もほとんど動かせないおじいちゃんがいました。それでも子どもたちと一生懸命に歌を歌おうとしています。でもちゃんとした声にならず、ずうっとよだれをたらすばかりです。そのおじいちゃんの隣にも園児が寄り添い、ずっと手を握ったまま、嫌がることなくいっしょに歌っています。隣でその光景を見ていたデイサービスのスタッフが、「ああ、〇〇のおじいちゃん、嬉しそうだねえ」といいます。正直、どう表情が変わっているのかは、取材をしている私たちにはわかりません。

「いえ、〇〇さん、すごく喜んでますよ。すごい笑顔ですもん」

毎日その人の様子を見ているスタッフにはわかるのでしょう。それもすごいのですが、ずーっとよだれをたらしているおじいちゃんのことを、子どもが嫌がるそぶりも見せないのです。

私たちが感心していると、一人のスタッフがこういいました。「もしかすると特別思いやりのある子なのかも知れませんが、基本的に子どもは嫌がりませんよ」

動かない体を必死になって動かそうとするおばあちゃん、口が動かないのに一生懸命歌を歌おうとするおじいちゃん。本当に子どもたちのパワーはすごいと思いました。

「そうですね、すごいですよ。とても敵わないです。私たち介護職ですら、あんなことできませんから（笑）」

取材をしていて、このデイサービスセンターでの世代間交流のパフォーマンスは、はじめから最後まで、よくよく考え抜かれたものだと思います。挨拶から歌、そして、お年寄りとの会話、としだいにお互いの距離を密接なものにしていきながら、遊びという共同作業をすることでお互いのあり方を客観視し、最後に身体ごとぶつけ合ってのコミュニケーションがあります。

この施設を初めて施設訪問をしたときの、子どもがお年寄りに話しかけるエピソードとして、こんな話があるそうです。

なんて話しかけたらいいのかわからない園児が、同行の保育士に尋ねました。

「なにを聞いたらいいの？」

「なんでもいいのよ」

そして、しばらく考えていた子どもが口を開きました。

「おばあさんは、大きくなったらなにになりたいですか？」

その質問に、同行のスタッフも、施設の人も、笑いをこらえるのに必死だったそうです。

ところが、尋ねられたおばあさんは、笑顔いっぱいに答えました。

「わたしは、お姫さまになりたいわねえ」

これらの施設訪問は、4歳児と5歳児が中心になっています。4歳児は5歳児といっしょに何度か施設していくうちに、「ああしたら」「こうしたら」と考えながら接していくようになるといいます。

年長さんの行動を見ながら、子どもながらに試行錯誤を繰りかえすのです。子どもの適応力の凄さには改めて驚かされます。ちいさな子どもは、言葉や口でいわれただけでは、わかりません。頭ではなく、身体で他人とのコミュニケーションを覚えていくのです。

盲学校との交流

子どもたちがもっている「心のバリアフリー」

八王子ふたば保育園では、毎週金曜日に、近くにある都立八王子盲学校幼稚部との交流も続けています。盲学校の子どもたちが保育園に遊びにやって来るのです。また、月に1回程度、年長組の子どもたちが盲学校を訪ねています。そのときには、授業にも参加しているそうです。

盲学校の幼稚部では、接する人のほとんどが保育士や教職員、そして親たちです。常に、大人と子どもという関係になってしまい、子ども同士のつきあい方がわからなくなってしまう傾向にあるといいます。また、全体の人数が少ないことで、活動に限界もあります。ふたば保育園との交流保育を行うことで、活動の幅を拡げています。

保育園の子どもと盲学校の子どもたちは、すぐに打ち解けて友だちになっていくといいます。視覚に障害があっても、園児たちにとってはなんの垣根もありません。そういう人もいる、ということをいつしか認識しているのです。園庭を駆けまわったり、教室でおしゃべりしたり、ふだんと同じように動き回っています。しかし、ちゃんと相手を気遣ってもいます。自然に、相手をいたわる心が生まれているといいます。

また、ふたば保育園の園庭は狭いので、盲学校の広いグランドは、子どもたちにとってはとても魅力です。広いグランドで盲学校の子どもの手をつかんで引っ張り回しています。引っ張られていても、笑顔いっぱいについていく子どもたちの姿に、障害はなんら関係ないと思わされます。盲学校にはプールもあります。そのプールでも、水かけをしたり、ボードにつかまって泳いだり、といっしょに遊んだりもします。

このように、子どもたちはいっしょに遊ぶことによって、お互いの状態を理解しあうようになります。自分との違いをきちんと把握しているのです。そして、さまざまな人との出会いを通して、どのような人とも「心の障害」なく、自然につきあっているのです。

その点でも、盲学校との交流保育には意味があります。「心のバリアフリー」を幼いころから身につけていくことによって、偏見のない、健全な心身を兼ね備えた子どもとして成長していく可能性が拡がるのではないでしょうか。

スタッフから見た八王子ふたば保育園
子どもたちの行動に気づかされることも

八王子ふたば保育園のアピールポイントの一つである世代間交流は、子どもたちの心の成長をうながす意味では大いに有効だということは、間違いのないものだと思えます。その一方で、スタッフはたいへんです。

保育園から施設まで、車の通る道を歩いていくことになります。子どもたちは、おしゃべりをしたり、なにか面白そうなものを見つけると、すぐに気を取られて横にそれてしまいます。この年頃だとなかなか足並みも揃いません。必ず遅れてしまう子もいます。また、途中には、交差点もあります。信号のある横断歩道を渡るのも一苦労です。1回では渡り切れないこともあります。なので、施設訪問のときには、同行するスタッフが最低でも2人は必要になります。その時間2人のスタッフが抜けるということは、園に残ったスタッフが忙しくなるということでもあります。

保育士の気遣いを知ってかしらずか、子どもたちは、道すがら見たことをじつによく覚えています。「この前来たときに、この家にこんな飾りはなかったよ」とか「木の葉っぱに色がついて、きれいになったね」とか、周りの変化に敏感です。じつに好奇心が旺盛なのです。保育士としては、もう少し子どもたちの会話に耳を傾けていたくもありますが、約束の時間があるので、子どもを急かさなければいけない時もあります。安全面も含めて、気苦労はあります。

どこの保育園、介護施設でもそうですが、交流を行う場合、一番気になるのは、感染症の問題です。とくに、取材したのが寒い時期だったこともあり、お互い感染症には気を遣っていました。インフルエンザなどの病原菌のもち込みは厳禁です。

介護施設に行って交流がはじまると、保育士は子どもとお年寄りとの間にはあまり入り込まないようにしているそうです。もちろん目配りはしますが、お互いが楽しんでいるかどうかを把握している程度です。子どもが寄りかかり過ぎてお年寄りが椅子から転げ落ちそうになったり、子どもたちが走り回って危険が及びそうな場合には割り込んでいきますが、そんなことは滅多にないといいます。

子どもたちは、じつに自然にお年寄りの心に入り込んでいきます。それは、大人にはできないことです。最初のうちこそ、もじもじとしてなにを話したらいいのかわからないでいた子も、三度目、四度目ともなると自然にお年寄りとおしゃべりするようになります。とはいえ、子どもにとっても親しみやすい人、ちょっと近づきにくい人がいます。そんなときには、年長の、少ししっかりした子に、「あのお年寄りのところに行ってあげてね」というような配慮は必要です。一人ぼっちになっているお年寄りがいないか、みんなと楽しんでいないお年寄りがいないかなどに気をつけ、全員が遊びの輪に入っていることを確認します。

付き添いの保育士には、そんな気苦労もあるようですが、子どもは案外積極的にお年寄りに関わってくれることが多いので助けられているそうです。いろいろな人との交流を通して、子どもは自ずと社会性を身につけていくものなのだなぁ、と感心することもしばしばだといいます。

これらの世代間交流は、保育士個人の仕事量という意味では、確かに増えてしまう部分がありますす。しかし八王子ふたば保育園の保育士さんに聞いてみると、保育という観点からは、やっぱりあったほうがいい、といいます。

様々な人と交じりあうことで、子どもの感性は育っていくのでしょう。その現場にいて、むしろ多くのことを教えてもらったという保育士もいます。子どもの動きを通して、お年寄りや障害者への気づきや気配りのあり方を教えられることも多々あるからです。

園としての世代間交流

地域との交流を通じて子どもの社会性・感性を育てたい

八王子ふたば保育園の園舎は、2階建てで、園庭も200平方メートルほどと、必ずしも広くありません。住宅街の中に昔からある保育園、といったイメージそのままです。そんな保育園について、園長の山下恵理子さんは、「なにかアピールできるものが欲しい」といいます。

「まだまだ待機児童の問題は解消されていませんが、これからの時代は、保護者が保育園を選ぶ時代になるのではないでしょうか。これからの時代を生きていくためには、なにか他の保育園にはない特徴が必要だと思うんです」

保育園のよさは、園舎の大きさや園庭の広さに関係ない。子どもたちの心身の発達のために必要なのは、元気よく活動し、地域にいる多くの人と交わり、多くのことを肌身で感じることにあると気づいたのです。

かつては、地域のお年寄りが子どもの成長を見守り、悪いことをしたときには叱り、よいことをしたときには褒めてくれました。だれかれの区別なく接してくれたものです。自身のそんな経験から、地域交流に対する意識を強くもっていたのが山下さんです。保育園は、地域の人が気軽に立ち寄って来てくれる場、地域に対してオープンであるべき場所なのだと考えています。

しかし、時代は変わっています。今の保育園は、外部の人に対しては閉鎖的にならざるを得ない部分があります。安全面の配慮から、保育園に関わりのない人を園内に入れることを許しません。単体の保育園なので、建物の中では世代間交流ができません。黙っていては、地域との交流は望めないのです。

冒頭に紹介したように、山下さんは、「それならばこちらから、交流できる場を求めて出かけて行こう」と考えました。それが、いまに続く「訪問型の世代間交流」です。ちょっと保育園から出かけて、近所のおばさん・おじさん、近所のお年寄りといっしょに遊ぶという感覚を大事にしたかったのだ、といいます。現に、クリスマスなどのときには、子どもたちが近くに住むお年寄りを家に訪ねたりもしています。地域のお年寄りをはじめ、いろいろな人との交流を通して子どもは社会性を身につけていくのです。社会性を身につけることは、地域との繋がりを学ぶこと、人と人との結びつきの大切さを学ぶことにつながります。

また、人はそれぞれにものに対する感じ方が違います。お年寄りにはお年寄りの感じ方、視覚障害のある人にはその人特有の感じ方があります。その違いのあることを、知識としてではなく、身体で実感することができるのが、子どもです。子どもは、知識や人間関係に惑わされることなく、五感のすべてを使って学んでいるのです。

そして、子どもであっても、一人の独立した人間として、相手を尊重し、自分を主張しながら生きていくことの大切さを身につけていけるのです。お年寄りに対しては敬いといたわりの心をもって対し、視覚に障害のある人に対しては気遣いとやさしさをもって対し、園児同士にあっては対等でありながらも尊重しあう関係。そんな貴重な体験をできる機会が、「訪問型の世代間交流」にはあるのです。

一方で、山下さんはこうもいいます。

「経営者として考えるのなら、施設訪問交流のために複数のスタッフを割くことは、手間暇という意味ではたいへんですよ。けれど、保育園のメリットから考えたとき、園児の安全を図り、園児の社会性や感性を育てるためには明らかに有効です。ただ、その分コストもかかります。世代間交流をしているからといって、基本的に補助があるわけでもありません。２０１４年までは、東京都のサービス推進費（東京都民間社会福祉サービス推進費補助金）というのがあって、世代間交流に対して、少額ですけれども、補助がありました。それも２０１５年に廃止されてしまいました。

でも、福祉の世界では、やる気のある人や施設が先駆的に行動を起こし、それが社会的に認められることで、その後、行政がついてくる、という傾向があります。保育と介護とが結びついた世代間交流という形態は、待機児童の解決に、デイサービス介護の補助に、とても有効だと思いますよ」

山下さんは、地域における保育と介護をいかに結びつけるかを考え、いまある自分の保育園ができることを考え、実行しているのです。その結果は、子どもにとってもお年寄りにとってもよい方向に向いているようです。「言葉にするといろいろありますけれども、単純に、介護施設への訪問交流をはじめてよかったなぁ、と思っていますよ（笑）」

また、山下さんは、こんなことも教えてくれました。

「これも体感値なんですけれども、保育園を卒園した子は、自分の力で生きていくことのできる子が多いように思います。それと、これは案外大切なことだと思うんですけれども、大きくなって、なにかでどうしようもなく困ったときに、他人に〈助けて！〉といえる子が多いように思うんです。

小学校に入った当初は、しっかり勉強をしている幼稚園などの卒園者に比べると、一時的に勉強では後れをとるかも知れませんが、それはその後いくらでも追いつくことのできるもの。それよりも、他人という存在を認め、自分で生きていくたくましさを身につけていく。さらには、困ったときには人に助けを求めることができる、ということのほうが重要です。引きこもったりする子も多い世の中ですが、保育園では、生きる力の強い子どもを育てていると思っています。

今も日本では、多くの中学生高校生が、悩みを抱え、他人に相談できないままに生きていきます。なかには自らの生命を絶ってしまう子もいます。ちょっと周りの人に相談できれば、助けを求めることができれば、救えた生命もあると思います。保育園の役割や貢献度は案外大きいんだよ、と世の中にもっと伝えていきたいですね」

最初は何となくはじめた、という地域の施設や学校との交流ですが、八王子ふたば保育園は、今では「世代間交流」を保育園の差別化要因として積極的に取り入れています。子どもとお年寄りへの様々な効果はもちろん、経営戦略としても、正しいのではないかと思えます。

というのも、現在は待機児童、潜在待機児童の問題がまだまだ続いていて、保育が足りない状態ですが、今後、少子化はどんどん進んでいきます。そうなれば、保育の世界にもある種の市場原理が働き、利用者側に圧倒的な選択権が生まれます。そのときに、親は、「どこの保育園に通わせようか」と考えるようになるでしょう。早期教育であったり、スポーツであったり、保育園側にも様々な特色が生まれてくるのではないかと思います。そのときに、「世代間交流」は一つの大きなブランド力になるのではないでしょうか。

スターツケアサービス株式会社

東綾瀬きらきら保育園　グループホームきらら東綾瀬

東綾瀬きらきら保育園	
住所	〒120−0004　東京都足立区東綾瀬2−17−8
電話	03−5682−2620
グループホームきらら東綾瀬	
住所	〒120−0004　東京都足立区東綾瀬2−17−10
電話	03−5697−6581
運営	スターツケアサービス株式会社
代表取締役	山崎千里
ホームページ	http：//www.starts.co.jp/s-careservice/

沿革	
２００３年	スターツケアサービス株式会社設立
２００９年	ＵＲ都市機構の旧綾瀬マンション建替事業に伴う、「東綾瀬複合施設プロジェクト」の設置・運営事業の一環として、土地を貸借（一般定期借地権50年）。認可保育所東綾瀬きらきら保育園（定員１００名、0～5歳児）および、グループホームきらら東綾瀬（定員18名）開設

東綾瀬きらきら保育園 グループホームきらら東綾瀬

スターツケアサービスにおける世代間交流とは
0歳から100歳までのシームレスケア

東綾瀬きらきら保育園とグループホームきららら東綾瀬は、東京の下町、足立区の東綾瀬地区にあります。2003年の創業以来、多くの介護施設運営を行っているスターツケアサービス株式会社にとって、初めての世代間交流施設です。今後、同社が開設をすすめようとしている世代間交流施設の先がけであり、モデルケースでもあります。

開園当初の保育園のスタッフには、はじめての世代間交流施設ということで、なにをすればいいのかという迷いと、いい施設にしていきたいというモチベーションが混在していたといいます。「なにかきちんとした形での交流をしなくては」と、構えてしまうところもありました。

東綾瀬きらきら保育園とグループホームきららら東綾瀬は、同じ会社で同じ敷地内にあるとはいえ、別の事業を行う施設です。後述のように、今はお互いのスタッフが非常に仲良く親密に、協力体制をとって施設を運営していますが、最初のうちは、「○月○日に、運動会をしますので、見に来てください」「お雛様を飾りましたので、見に来てください」など、他人行儀に案内を送って交流を図っていたそうです。

二つの施設は同じ敷地内にあり、基本的には行き来は自由です。子どもたちが庭やウッドデッキなどで遊んでいると、いつの間にかお年寄りが外に出て来て、話しかけたりゲームに加わったりします。また、お年寄りが寛いでいるところに子どもたちが押しかけていって、いっしょに遊んだりもします。スタッフが意図的になにかしようとしなくても、お年寄りと子どもが自然に交流をはじめていたのです。

双方のスタッフは、ここで改めて、交流とは何かを考えさせられたといいます。

それからは、グループホーム内で行われる書道教室に子どもが遊びに行ったり、いっしょに給食を食べるなど、日常の中で、より深い交流の場を増やすようにしました。その結果、スタッフも、改まった形での「交流」より、ふだんの「関わり」に重きをおくほうが、より深い交流ができると考えるようになっていったといいます。構えてなにかしようとするのではなく、子どもとお年寄りが自然に交流していくのを手助けしていけばいいのではないか、ということに気づいたのです。

自然な形での交流を促してくれるのが、子どもとお年寄りの双方が利用できる園庭とウッドデッキ、そして、両施設の中間に設けられた共有空間（「コミュニティコア」）です。二つの施設の中に、子どももお年寄りも自由に行き来できる場所があるのです。折り紙、ぬり絵、書道、カレーパーティ、七夕会、納涼祭りなど、さまざまな形での交流がこれらの場を利用して行われています。

また、公園に遊びに行く子どもたちは、グループホームの建物を横切って出かける構造になっています。子どもたちは、部屋の中やベランダにいるお年寄りに手を振りながら遊びに行きます。お年寄りも部屋から手を振って応えます。世代間交流と大げさな言い方をする必要のない、あたりまえの光景になっています。かつて近所のおじいちゃんおばあちゃんに挨拶していたのと同じことが、ここでは行われています。

このように、東綾瀬きらきら保育園ではふだんの生活レベルで、〇歳の乳児から一〇〇歳のお年寄りまでが触れ合っています。子どもには自ずとお年寄りに対する思いやりやいたわりの気持ちが身についてきます。お年寄りにも積極的に接するようになります。また、子どもと接することによってお年寄りには笑顔が戻り、戸外で遊んでいる子どもの姿を追い求めるようになります。部屋に閉じこもっていたお年寄りも、やがて外に出て来るようになります。

それぞれが意識することなく、自然な形でお互いのケアがされているのです。同社が掲げるシームレスケアとは、何気ないふだんの関わりで築き上げられる、もっと深い心の交流のあり方なのかも知れません。

東綾瀬きらきら保育園

他人を認めながらも、自立した子どもに

東綾瀬きらきら保育園の世代間交流は、5歳児が中心になります。保育園には昼寝の時間がありますが、年長さんは昼寝をしないので、その時間にグループホームを訪ねるようになりました。行事を通しての交流ではなく、遊びにいくという感覚です。初めのころは、月に数回お年寄りを訪ねるという程度でしたが、しだいにその回数は増えてきました。子どもたちが勝手に出かけていって、お年寄りに迷惑をかけていることもあるようです。

子どもたちにはあとで、「介護士の○○さんに都合を聞いてから行こうね」とか、「きちんと挨拶をしてから、遊ぼうね」「ソファーの上で飛び跳ねたりしないでね」「お年寄りの傍で暴れてはダメよ」「お年寄りの肩を叩いてあげるのはいいけど、押したりしてはダメよ」などと、保育士たちが諭すこともあります。保育園長の宍倉康子さんは、「気軽さと礼儀は別」ということは口を酸っぱくして伝えているといいます。しかし、そんな交流のなかで、子どもたちはお年寄りに対する敬いや思いやる気持ちを育んでいきます。

また、宍倉さんは、

「おじいちゃんおばあちゃんに、なにをしたら喜んでもらえると思う?」

「おじいちゃんおばあちゃんに、なにをしてはいけないと思う?」

などという言葉をよく投げかけているといいます。そうすることで、お年寄りに対して子どもがなにをどう感じているのか、保育士もいっしょになって考えることができるからです。

2013年の春から夏にかけて、保育園では毎朝、マラソンをするというイベントがありました。走り終えた子どもたちは、ラジオ体操みたいにスタンプカードをお年寄りのところに持っていって、ハンコを押して貰います。そのときの子どもたちの嬉しそうな顔と、子どもたちを褒めながらハンコを押すお年寄りの満面の笑みは、言葉ではいいあらわせないほどあたたかい光景だったそうです。

ほかに、定例の行事として月1回の「食事会」を行っています。これはお話をしながら給食を食べる会で、お年寄りの集中力の続く時間に限りがあるとの配慮から、30分ほどの会です。お年寄りの話す言葉がわからないこともあるようですが、子どもたちが楽しみにしている行事の一つです。

このようにして、子どもたちはお年寄りとの交流を楽しんでいますが、この保育園のもう一つの特徴は、地域との繋がりが深いことです。

全国的にも珍しいケースだと思いますが、東綾瀬きらきら保育園から1本通りを挟んだ西側には、足立区立東綾瀬保育園があります。それだけでなく、足立区の人口密集地でもあり、近年U

R団地が建ったことで、近隣には公立、認証、無認可合わせて多くの保育園があり、このあたりは保育園銀座、ともいえる地域になっています。

隣り合わせの東綾瀬保育園には広い園庭があり、たくさんの遊具があります。保育園の職員同士も仲良くなっていて、「うちの保育園にも遊びに来て下さい」と声がかかると、訪ねていっていっしょに遊んだりもします。また、運動会や音楽会などでも招待し合ったりして、近隣の保育園同士で交流を深めているのも、特徴の一つです。

運動会には、将来通う小学校別の対抗戦というのも行っています。集まった保育園児を、進学する小学校別に分けて競争するというものです。これは、小学校に入ったらこの子たちといっしょになるんだという、保育園の枠を超えた仲間意識を育てることにもなります。

他に、地域との交流として、防災訓練の時に行う「炊き出し訓練」などの地域の大人たちとの交流があります。園庭に大きな釜を据え、薪を使ってのカレー作り。施設のお年寄りに自治体の人たちをも交えての訓練は、今後も継続していくとのことです。見知らぬ大人たちがたくさんいる防災訓練ですが、子どもたちは楽しみながら参加しているようです。

同じ敷地内でのお年寄りとの交流、隣接している公立保育園との同世代の子ども同士の交流、運動会での同じ学校仲間との交流、防災訓練での地域の大人との交流。これだけたくさん外部との関わりがあると、子どもたちは自分とは違う他人の存在を意識することになります。

他人と関わる機会が多くなると、子どもたちはいつの間にか他人に接する能力を身につけていきます。年上の人を敬う気持ちも育まれていきます。日々のお年寄りとの交流から身につけてきたものなのでしょうが、相手のいうことを理解しながら、自分の思いをきちんと相手に伝えることができている子どもが多いように思えます。今風にいうのであれば、ここの園児たちのコミュニケーション能力の高さには驚かされます。

また、認知症のお年寄りには、上手に話すことができない人もいます。そんなお年寄りの言葉に子どもたちはじーっと耳を傾け、何かしら理解しようとしています。そして、自分が思っていることを一生懸命、お年寄りに伝えています。大人でもなかなかできないようなことを、保育園児がしているのです。

これらの経験は、子どもたちにとっては大きな財産となるに違いありません。

グループホームきらら東綾瀬
「顔がまろやかになってきたね」といわれて！

ここまでは園児側からの世代間交流の側面を見てきましたが、一方の、グループホームにいる

東綾瀬きらきら保育園 グループホームきらら東綾瀬

お年寄りには、どういう効果を生んでいるのでしょうか。

お年寄りたちの多くにとって、身近に子どもがいるのは嬉しいことです。介護施設に限らず、子どもを見て目を細めるお年寄はたくさんいます。それは、子どもたちに「なにかをして欲しい」ということではありません。遊びにきて、ちょっと傍にいてくれるだけでも、十分嬉しいのです。

グループホームきらら綾瀬ホーム長の濱田雪さんからこんな話を聞きました。

「たとえばお別れ会やイベントなどで、子どもたちがみんなでグループホームに来るときに、あらかじめお年寄りには伝えないようにしています。喜びすぎちゃうんですね。認知症の方が多いので、予定を伝えても忘れてしまったり、逆にその日のことだけで頭がいっぱいになってしまって、日常生活が混乱してしまうことがあるので」

お年寄りは、それほどまでに子どもとの交流を楽しみにしていることになります。

取材に訪れたのが、「お別れ会」が行われる当日で、その一部始終を見学させていただきました。卒園する5歳児に、お年寄りがお別れ会を開いてくれるというのです。

お別れ会のはじまる午後2時になると、リビングにグループホームの利用者18名が椅子に座って子どもたちが来るのを待っています。この段階では、下を向いてボソボソ呟いている人もいれば、半分眠っている人もいます。なんのためにここに集められたのか、その理由もわからないでいる人もいるようです。

そこに、子どもたちが賑やかに入ってきます。すると、その場の雰囲気がガラッと変わります。お年寄りの表情に一気に活気が出てくるのです。みんなの目が一斉に子どもたちに注がれます。下を向いていた人も笑顔になって目を子どもに向けます。半分眠っていた人もニコニコ顔で子どもに食い入るような目を走らせます。この光景は、世代間交流施設ではよく見られるものです。お年寄りにとっての最大の活力は、子どもたちとの関わりにあるということがよくわかります。

続いて、紙で作ったメダルとお祝いの品の贈呈です。18名のお年寄り一人ひとりから、卒園する子どもたちの名前が呼ばれます。子どもは、「はい」と返事をし、名前を呼んでくれたお年寄りのところに行って贈呈の品を受け取ります。

次は、子どもたちからお年寄りにプレゼントを渡します。「では、○○さんから、△△さんにプレゼントをお渡しください」とのスタッフの言葉に、子どもは、緊張感を走らせながらも笑顔いっぱいにして、そのお年寄りのところに行きます。照れくさそうでもあります。プレゼントを受け取ったお年寄りは、それぞれ子どもたちに声をかけていきます。なかなか言葉が続かない人もいます。でも、子どもたちはずーっと耳を傾けてお年寄りの言葉を聞いています。うなずきながら、神妙な面持ちでいるのが可愛らしくもあります。「元気でね！」「またときどき遊びに来てね」「今日もかわいいわね」「今日は、髪が素敵」「いなくなると、寂しくなるわね」。なかには、お別れの贈り物として、想い出の歌を唄いだす人もいます。

贈呈式が終わると、子どもたちからのお返しに歌を唄います。この日は、季節の歌だからと「雪」を唄いました。そして最後に、お年寄りに向けて「ありがとうございました」のお礼。お年寄りからは「頑張ってください」の言葉。「がんばります」といって子どもたちは、お年寄りにさよならをします。

お別れの時、ある子が「お別れ会が終わったから、もうここに遊びに来ちゃいけないの？」と尋ねました。スタッフが「そんなことないよ。保育園はまだあるんだから、いつでも遊びに来ていいのよ」、というと、その子はにっこり笑って帰っていきました。

ホーム長の濵田さんは、こんなエピソードを教えてくれました。

ある日、どうしてもベッドから起きられないお年寄りがいました。そこで、子どもたちに助けてもらおうと、保育園のスタッフに「何人か手伝いに来てほしい」と頼みました。来てくれたのは2歳の子。そこで、「おばあちゃんが起き上がれないんだって。声をかけて起こしてあげてくれる」と頼むと、「おばあちゃん、起きてよ。起きて～」と声をかけたそうです。すると、今まで起きられなかったお年寄りが、起き上がって、「ありがとね！」とお礼をいったというのです。これにはグループホームのスタッフも驚いたそうです。さすがに、ベッドから降りて歩くことまではできなかったようですが……。

後日、そのおばあさんは子どもと会った時に、「この前は、ありがとね」とお礼を伝えました。そのあと、子どもたちの間では「また、助けに行こうよ」との言葉が交わされていたそうです。

グループホームには、認知症が重度化していて、外に出かけることもままならないお年寄りも多くいます。そういったお年寄りでも、この施設にいれば、いろんな人と関わることができます。人付き合いの下手なお年寄りのところへも、子どもたちは気にもせず遊びに来ます。日頃怒ってばかりのおじいさんが、子どもと遊んでいるうちに穏やかになってくるなど、ＢＰＳＤ（認知症の周辺症状）の部分ではかなり緩和されるケースが多いと濵田さんはいいます。施設のお年寄りが失いがちな、社会性が担保されるのです。

その大きな要因は、やはり子どもがいることです。お年寄りだけの施設で生活していると、人間はだんだん役割を失っていきがちです。しかし、ここには子どもがいます。つまりお年寄りに、園児たちのおじいちゃんおばあちゃんとしての役割が産まれるのです。

濵田さんはいいます。「世代間交流といっても、最初のころは何をしていいのか戸惑うこともたくさんありました。でも、年を経るごとに、グループホームのスタッフにも変化が出てきました。子どもたちがいるという環境に慣れてきたのだと思います。交流といってもなにか特別なことをしようと考えるのではなく、目の前ではお年寄りと子どもがあたりまえのように日常を分かち合っています。その中で起こること一つひとつに対応していくことが大切なんだろうなと思います。

また、介護施設の職員として、本来であれば、保育園児や保育園のスタッフと関わることはありません。でも、ここではその人間関係があります。子どもたちは私が介護の職員だからといって避けるわけではありません。分け隔てなく接してきます。お年寄りも同じです。介護職員なのに子どもたちの成長を見ることができて、お年寄りの生活が変わってくることを実感できるんです。これは、世代間交流施設でないと経験できないことですね」

保護者にとっての東綾瀬きらきら保育園

生活の一環としてお年寄りのいる保育園

近隣に多くの保育園がある地域ですが、あえてこの東綾瀬きらきら保育園を選ぶ保護者もいます。

お別れ会で唄う子どもたち

この保育園は、建物の南側が園庭になっており、外部と隔てているのは柵だけ。地域のだれしもが保育園の様子を通りから眺められます。暖かい時には、園庭やウッドデッキでお年寄りと子どもたちがいっしょに遊んでいる光景を外から見ることもできます。子どもとお年寄りがいっしょにいる珍しい施設だというのは、外から見ていてもわかります。

この園に子どもを預ける保護者の意見は、グループホームに隣接している保育園だからここを選んだ、という理由が多いそうです。お年寄りと交流できる施設であることをプラスに捉えているわけです。子どもをグループホームには連れて行って欲しくない、という保護者は基本的にいないそうです。お年寄りといっしょだと感染症が心配だという意見もありますが、それを恐れる保護者もいないといいます。

お年寄りのいる環境を、本来あるべき生活として捉えている保護者が多いということがうかがえます。核家族が多いこともあるのでしょうが、少なくとも、お年寄りがいることによってもたらされる子どもへの影響を、積極的に捉えているのだと思います。

家庭ではできなくなったお年寄りとの生活を、世代間交流施設では疑似体験できるのです。つまり、親では教えることのできない、お年寄りを、もっといえば他人をも敬う心を保育園で育んでもらえる、という見方です。

これは、お年寄りを託している家族にもいえます。子どもといっしょにいることによって、笑顔を取り戻し、華やいだ気持ちで生活を送ることができます。子どもが近くにいることによって、子育てのころの自分に帰り、ハラハラドキドキしながらも子どもの一挙手一投足を見守っている姿こそが、お年寄りにとっての活力源になることを、家族は認識しているのです。

スタッフにとっての世代間交流施設
田舎の隣り近所づきあいのある施設

東綾瀬きらきら保育園とグループホームきらら東綾瀬では、子どもとお年寄りだけでなく、双方のスタッフ同士に垣根というものがあまり感じられません。グループホームで働いているスタッフにも保育士の資格をもっている人がおり、保育園で働いているスタッフにも介護士の資格をもっている人がいるということもあるかもしれませんが、それとは関係なく、両方の施設を自由に行き来できる環境が作られているように見えます。逆にいえば、保育園のスタッフもお年寄りを見なければなりませんし、グループホームのスタッフも子どもとつきあうことになりますが、多くのスタッフは、それを面倒なことと捉えている様子がありません。むしろ、その状況を楽しんでいるように感じられました。

保育園のスタッフからは、

「ふつう、保育園でお年寄りと関わることはありません。しかし、ここでは、子どもと出会えるだけでなく、お年寄りとも出会えるのです。子どもたちって、こんなに多くの表情をもっているんだと、ここに来て初めて知りました」

「保育園で仕事をしているだけだと経験できない、より多くのことが見えてきます。たとえば、子どもたちがお年寄りをいたわっている光景なんて見られませんよね。でも、ここではあたりまえの光景なんです」

グループホームのスタッフからも、

「以前、介護だけの施設にいたんですけれども、お年寄と職員しかいないわけですよね。仕事も割とルーティーンになってしまって、正直、自分の気持ちが行き詰ってしまうこともありました。だけどここでは、子どもたちがいることによって、いつも新鮮な気持ちでいられます。お年寄りと子どもがいっしょにいることで、化学変化というか、なにかが起こるんですよね。これは、どちらかだけの施設にはないことだと思います」

「お年寄りと子どもとの交流の場をもつことは、本来なら、仕事量が増えていることになるのでしょうが、そんな気持ちにならないことが不思議です。子どもたちが来ることによって気分転換にもなります。また、お年寄りたちといっしょに、子どもたちに声をかけている自分に気づいてビックリすることもあるほどです」

「隣にあるとはいえ、それまで保育園に行くことはあまりなかったのですが、子どもたちともだんだん親しくなっていって、保育園に行く機会が増えました。私自身が子どもと気軽に接することができるようになったんです」

グループホームのスタッフからも、子どもと関わることで仕事上のマイナスと捉える意見は聞かれませんでした。

そういう環境なので、ここでは保育園とグループホームのスタッフ同士の協力関係がうまく作られています。同じ会社ではあっても、本来は別々の施設です。ところが、双方のスタッフはまったくの自然体でコミュニケーションをとっています。ここのスタッフからは、気遣いや気負いというものをまったく感じません。

ホーム長の濵田さんはいいます。

「やりなさい、といわれなければなにもしない人が多い社会にあって、この施設では自発的に動くスタッフの姿よく見かけます。自分自身を積極的にできる状態にあることは、ストレスを溜め込んでいない証拠と見ています。子どもとお年寄りがいて、その中間にスタッフがいる。いわば三世代の人びとが同じ敷地内で関わりをもっている状態は、昔あったような、田舎の近所付き合いにも近いんじゃないでしょうか。この環境は、世代間交流をはじめてから今日まで、施設として作り上げられてきたものだと思います」

開設当初は、どのように交流をしていくべきか悩んでいた宍倉さんや濵田さんたちスタッフが、〈交流よりもふだんの関わり〉こそが大切と意識を切り替えたことが、ターニングポイントだったのでしょう。実際、取材を続けていて、子どもとお年寄りだけでなく、スタッフのみなさんの雰囲気のよさを肌で感じたことを付け加えておきます。

世代間交流行事によるアクセントは、スタッフをも変えていく

しかし、ふだんの関わりだけでは生活にアクセントが生まれません。時には「非日常」も必要です。たまに行われるイベントは、生活に緊張感と活気をもたらします。

2015年の例でいうと、4月のウッドデッキでの「ピエロが来たよ」という催しを皮切りに、7月の七夕会、8月の納涼祭り、9月から3月まで定期的に行なわれた昔遊び・お話会、9月の敬老の日プレゼント、10月の合同避難訓練、11月のカレーパーティ、12月のクリスマス会、2月の節分会、3月の雛祭り、そして取材時に行われていた「お別れ会」などと続きます。もちろん、月1回行われている食事会もその一つです。

このうち、毎月の食事会、昔遊び・お話会、敬老の日プレゼント、合同避難訓練、お別れ会などは、子どもたちがグループホームを訪ねる催しで、そのほかは、お年寄りを保育園に招いての

催しです。

ふだんの生活にこれらの行事を挟み込むことによって、生活にアクセントが生まれます。お互いに新たな出会いがあり、思わぬ発見があったりします。それは、子どもやお年寄りにとってだけではなく、いっしょに行事を行うスタッフにとっての出会いであり、発見であり、学びの場でもあります。スタッフにとっては、お年寄りやお子どもたちとの接し方を考えるいい機会でもあります。

「えっ、この子はこんなものの見方をしているんだぁ」

「この子は、いつの間にこんな敬語を話せるようになったんだろう?」

「こんなことに、○○さんは喜びを覚えるんだぁ」

「なぁんだ、○○さんは、ちゃんと子どもたちとの話を楽しんでいるじゃない。まだまだ私たちとも会話ができるんだ。もっと声をかけるようにしなくちゃ」

ふだんの生活よりも、こんな行事の時にこそ気づくことも多いのです。

すべてのスタッフが、このような気持ちでいられるかどうかはわかりませんが、仕事上のストレスというものをほとんど感じさせない職場だなという印象を受けました。

一方で、園長の宍倉さんからはこんな話も聞きました。

「園長として、定員通りの園児を募集することができるかが、まず最初の問題ですが、おかげさまで入園希望も多く、その点は今のところ心配いらない状態です。

大切なことは、スタッフの質的向上をどのように図るかということになります。これについては、保育園と同じ敷地内にグループホームがあり、あたりまえのように双方が行き来しているという職場環境が、いい方向に作用していると思います。

たとえば、保育の現場にいても介護をしているスタッフの様子が見られます。保育にはない、他人との接し方を学べます。おそらく介護のスタッフにとっても同じことです。

保育園のみの施設で保育をしてきたスタッフにとっては、いままで経験したことのない新鮮さがあることは間違いありません。保育の仕事に加えて、時として介護に関わるような場におかれることもありますが、それを苦痛と感じるか、喜びとまでは感じなくても嫌だと思わないかは大きな違いです。今いるスタッフは、少なくともなにかを学ぼうと積極的です。お年寄りと接していることで子どもを見る目が変わることもあります。お年寄りの目線に、自分たちにはない学ぶべきなにかを見るからです。そのひとつは、ものごとの善悪を超えて、すべての行いを包み込んでしまうかのような眼差しや、おおらかな心持ちでしょうか」

同じ敷地内にグループホームがあるからこの職場を選んだというスタッフもいます。それらのスタッフは、自らの意志でこの施設を選んでいるわけですから、はじめからこの職場環境を自ら活かそうと思っている人です。ある目的をもった、向上心のある人です。

グループホーム長の濵田さんも、介護としての立場から同じことを感じているそうです。「グループホームだけだったら、こんな活気のある職場環境になっていないのではないでしょうか」というのです。

「今後課題があるとすれば、スタッフが継続的に働いていける環境をどう作るかということでしょうか。現場で働くものとして、いっしょに働いていた仲間が、きちんとした理由もなく辞めていくことがいちばん悲しいことですから、いまある職場環境をもっと居心地のよいものにしていきたいのです。幸い現在のところ離職者が出ていないので、世代間交流施設で働くことのメリットをそれぞれのスタッフが活かしてくれているのかな、と思っています」

世代間交流施設というスタイルはそこで働くスタッフにとっても、いい効果をもたらすようです。スタッフが生き生きしていないと、利用者が喜びません。利用者が喜んでいなければ、家族もその施設を利用したいとは思わないでしょう。保護者や利用者にしてみれば、施設を訪ねた時に出会うスタッフの第一印象は大切です。笑顔で明るく、てきぱきと対応してくれるスタッフがいるだけで、なぜか人は安堵してしまうものです。ここなら信頼できる、と思ってしまうものです。そして、スタッフの表情は、よい職場環境があってこそ、作られるものです。

東綾瀬きらきら保育園とグループホームきらら東綾瀬では、子どもたちやお年寄りの雰囲気はもちろんですが、世代間交流が双方の職場環境にまでいい影響をもたらしていました。それは、取材をしていてもはっきりと感じ取ることができました。

スターツケアサービスは、これからも「人が、心が、すべて」という理念に基づいて、積極的に世代間交流を推進していこうとしています。東綾瀬のような複合施設だけでなく、単独の施設でも、地域との関わりを大切にした保育や介護を展開していこうという目標を持っています。ゼロ歳から百歳までの異世代、そして地域におけるシームレスケアを、同社がどう展開させていくのか、見守っていきたいと思います。

株式会社グローバルブリッジ

あい・あい保育園 今井園　やすらぎ家今井亭

あい・あい保育園今井園　やすらぎ家今井亭	
住所	〒260-0834 千葉県千葉市中央区今井1-1-17-4
電話	043-208-7287
ホームページ	http://globalbridge.biz/facilities/detail/ya-imai.shtml
運営	株式会社グローバルブリッジ
代表	貞松成
ホームページ	http//globalbridge-hd.com
沿革	
2007年	株式会社 global bridge（グローバルブリッジ）を設立　保育事業創業

2008年	介護事業創業
2010年	介護と保育の融合事業「かいほの家」を設立 以後、子どもたちと高齢者の世代間交流を実現できる施設を開設 2014年現在、32か所の保育園と介護施設を開設、運営している
2010年	あい・あい保育園　今井園（定員20名）、デイサービス　やすらぎ家 今井亭（定員10名）を開設
2014年	放課後等児童デイサービス　にじ今井（定員10名）を開設

◤あい・あい保育園 今井園　やすらぎ家今井亭

あい・あい保育園における世代間交流とは
心と環境のバリアフリーを心がけて

あい・あい保育園今井園と、やすらぎ家今井亭（デイサービス）、にじ今井（放課後等デイサービス）を経営しているのは、グローバルブリッヂという株式会社です。関東圏と関西圏を中心に保育事業を展開している会社で、近年は世代間交流施設の開園に力を入れています。

あいあい保育園今井園はグローバルブリッヂが展開する世代間交流施設のひとつで、２０１０年に開園しました。１階に保育園、２階にはデイサービスのやすらぎ家今井亭。２０１４年には、３階に障害児を対象とした放課後等デイサービスを開園しました。

建物は、もともと介護施設だったところをそのまま借り受け、改装を施したものです。最初から世代間交流を目的としてつくられた施設で、本書で取材した中では、唯一の賃貸物件による施設になります。賃貸で介護・保育施設をつくるのはメリットデメリットがありますが、いちばんのメリットは、開園までのスピードが土地から探して建てるより早いこと、圧倒的に物件数が多いことだそうです。逆にデメリットは、もともと介護や保育を目的として作られたものではないので、消防や耐震などの条件が整わず、事業者が思い描く施設にはしにくい、ということがあります。

この施設は、ＪＲ蘇我駅から徒歩５分の住宅街の中にあり、それほど広いスペースをとれているわけではありません。同じ建物の中に3つの施設が同居しているのですが、玄関も1か所しかありません。ところが、図らずも1か所しかないこの狭い玄関が、世代間交流に意外な役割を果たしています。

すべての利用者とその家族が、この玄関を使うことになります。すれ違う機会が多くなり、自然とそこには挨拶が生まれます。お年寄りが子どもたちに「○○ちゃん元気?」とか「しばらく会わなかったね〜」と声をかけたり、靴を履くときに手を貸してくれたりといった気遣いが生まれてきます。最初は他人と会うことを恥ずかしがっていた保育園の子どもたちも、だんだん挨拶をするようになります。

また、3階の放課後等デイサービスの子どもたちも同じ玄関を利用します。園児にとっては少し年上のお兄さんお姉さんたちですが、なんらかの障害をかかえています。ところが園児たちは、毎日のように玄関ですれ違うので、あたりまえのように挨拶をしたりしています。

玄関がひとつというたったそれだけのことが、意外な世代間交流を可能にしているのです。

あいあい保育園とやすらぎ家、にじ今井では、基本的に毎日、なんらかの形の交流をおこなっています。園児は、登園してからは遊んだり、お昼を食べてお昼寝をしたり、ないろキッズ体操や英語教室など独自のカリキュラムはありますが、他の保育園とそんなに変わるわけではありません。デイサービスの利用者は、曜日ごとの契約で、他のデイサービスと併用している人がほとんどです。午前中にお風呂に入ったあとは本を読んだり将棋を指したり、体操をしたりして過ごしています。

世代間交流は、園児のお昼寝とおやつが終わる15時半からはじまります。

保育園のスタッフに連れられて園児が2階に上がっていきます。園児が入ってくると、お年寄りの表情が瞬時にして変わります。それまでぽつんといすに座って下を向いていたおばあさんが、子どもたちの騒ぐ声が聞こえた瞬間に、文字どおり相好を崩します。園児は慣れた様子で、それぞれお年寄りの傍らに走っていきます。

取材したこの日のイベントは、おもちゃの食事セットや果物を使ってのままごと遊びでした。お年寄りが園児にメニューをリクエストし、それに答えて料理を作り、配膳します。

「今日は何を食べたいですか」「スパゲティをお願いします」「はいわかりました」「どうぞ食べて下さい」「おいしかった〜」「あらデザートもつくのね」と、園児とお年寄りがいっしょにままごとを続けています。お気に入りのおじいちゃんのお膝にずっと座ったままお話しているような子どももいます。

やがて交流の時間が終わり、園児が1階に戻る時間になります。お年寄りたちはどこか寂しげですが、「またね〜」「あしたもね〜」と笑って見送ります。

子どもたちとの交流をデイサービスの利用者はどう思っているのでしょうか、話を聞いてみました。

「やっぱり子どもはかわいいよ〜。年寄りだけのデイにもいたことあるけど、こっちのほうがぜんぜんいいいね」

「なにか家に孫が来ているみたいでさ。嬉しいよね」

「今日は○○ちゃんの誕生日なんだよ。おめでとうだね〜」

この声からもわかるように、ほとんどのお年寄りが園児の訪問を心から喜んでいます。やすらぎ家今井亭施設長の寛野喜洋さんに聞いてみると、「たまにうるさいのが嫌、という利用者さんもいますけれども、ほとんど例外なく喜んでくれてます。長い利用者さんになると、生後半年ぐらいで入園してきた子どもが小学校に入るまで見ていたりしますしね。誕生日や趣味も私たち以上に把握していたりすることもありますよ」とのことでした。

同じ建物の3階には、放課後等デイサービスがあります。放課後等デイとの交流時間はとくに設けてはいないとのことでしたが、園児とお年寄りの交流時間が終わるころ、3階の子どもが降りてきて、園児とお年寄りの賑わいをよそに、お年寄りが使った食器を黙々と洗っていました。ふつうにお手伝いしにきたよ、という感じです。

この放課後等デイサービスでは、発達障害の子どもがほとんどだといいます。ところが、お年寄りたちは、発達障害の子だから、という意識はまったくないようです。お手伝いにきた子どもも、相手が認知症のお年寄りだ、という意識はありません。

放課後等デイサービスの責任者である渡辺さんによれば、「療育の必要な子には、同世代の人とはいっしょにいたくないけど、大人には興味がある子が多いんですね。今食器を洗っている子も、もともとはすごく引っ込み思案な子だったんですけど、ここまで積極的に動けるようになってきたんですよ」とのことでした。

年齢という垣根を越えた交わりが、園児もお年寄りも、障害をもつ子どもたちにも、少しずつなんらかの影響を及ぼしていることが感じられます。

あい・あい保育園　今井園

人として身につけておくべき基本を、日々体験する

ここで、現代の子どもたちが置かれている環境を考えてみます。核家族化はどんどん進み、お年寄りがいる光景も少なくなっています。一般の保育園で考えてみると、園児同士と保育士、あるいは保護者とのつきあいがほとんどで、お年寄りと接する機会は基本的にありません。保育士も女性が多く、男性と接する機会もあまりありません。

おばあちゃんをとり囲む園児たち

しかし、あい・あい保育園今井園のように、世代間交流が行われている施設では、日常的にお年寄りとのつきあいがあります。介護スタッフには男性も多いので、成人男性と接する機会も増えます。

こうしたつきあいの中で、子どもたちは自然に他人との接し方を覚えていきます。「かわいいねえ」「いい子だねえ」「元気?」などと声をかけられるだけでも、子どもには嬉しいことです。親だけにかわいがられているのとはまったく違います。しかも、子どもたちはかわいがってくれるお年寄りになんらかの形で答えます。それはお年寄りにとってても嬉しいことでしょう。介護だけの施設では、言葉をかけてくれるのは介護スタッフと医師しかいなかったりもするからです。お互いが無条件に、それぞれ一個の人間として認め合える子どもたちとの関係は、お年寄りにとってもとても大切なことだと思えます。

また、世代を超えて人とふれあってきた子どもには、小学校に行っても、他人とのつきあい方の距離感がつかめていることが多いともいいます。それは、保育園時代、いろんなお年寄りとふれあって身につけていったコミュニケーション能力のひとつなのかもしれません。もちろんそこに、グラフ化できるような数値があるわけではありません。しかし、世代間交流には、人として育っていく上で欠かせないなにかを学べる機会がたくさんあると思えるのです。ふつうに挨拶ができる。お年寄りにいろんなことを学び敬う。他人を気づかう心を養う。他人とつきあっていく上での基本を身につけていくことができるのも、世代間交流施設の長所だといえます。

お年寄りにとっても、笑顔ではしゃぎまわる子どもたちは、宝物です。ただ子どもたちがかわいいというだけでなく、自分の子ども時代のことを思い出して、自分の子どもや孫の話をしはじめたりします。「認知症にも効果があるのではないか」という人もいます。

そして世代間交流がもたらす効果は、子どもやお年寄りだけのものではありません。子どもやお年寄りの笑顔は、施設で働くスタッフにとっても励みになります。たとえば、一人でぽつんとしているお年寄りがいます。介護スタッフが「塗り絵でもしましょうか」と声をかけても、まったくやる気を見せません。ところが、子どもたちといっしょだと、誰もすすめていないのに輪に加わり、積極的に塗り絵をはじめるのです。

デイサービスで1日ぼんやりしているのは個人の自由です。しかし、スタッフとしては少しでもお年寄りに楽しんでもらいたいのも事実です。「子どもがいることで私たちが助けられることもずいぶん多いんです」と、施設長の寛野さんはいいます。

また、ここには放課後等デイサービスの子どももいます。その子たちに対しても、お年寄りはもちろん、園児たちも「世の中にはこういう人もいるのだ」とあたりまえのこととして認識していきます。

園児も、お年寄りも、発達障害の子どもたちも、それぞれとの接触を通して、人として育っていく上での貴重な体験をしています。これをはとても恵まれた環境だといえます。園児にはとくに意識はないのかも知れませんが、その屈託のない笑顔を見ていると、今の社会ではなかなか体験できない世代間の触れあいを通して、実に多くのことを学んでいるように思えます。

やすらぎ家　今井亭

自らが自由に過ごせる空間。そして、子どもたちと遊べる空間

午前中、それぞれおしゃべりしたりくつろいでいたお年寄りの表情が一変するのは、3時半からの保育園児との交流と、放課後等デイサービスの子どもたちとの交流です。

すでに述べたように、子どもたちが入ってくるなり、お年寄りの相好は一気に崩れます。じゃれついたりイタズラをしてきたりする子どもたち。何をされてもお年寄りのニコニコ顔は消えません。子どもが自分を遊び相手として認めてくれている喜び、自分を対等な相手として構ってくれる喜びが、お年寄りの顔にはあふれています。「○○ちゃん」「○○のおじいちゃん、おばあちゃん」と名前で呼び合えるのも、日々の交流があるからです。もちろん、中には好き嫌いがあったりもしますが、それも人間関係のひとつです。

園児が入ってくるとデイサービスはとたんににぎやかになる

ふだん、家で一人でいることが多いお年寄りにとってのデイサービスは、仲間と時間を共有できる、安心できる空間です。お風呂に入り、テレビを見たり本を読んだり、将棋やカラオケなど、自分の好きなように過ごせる貴重な時間でもあります。

ただ、取材していて思ったのは、ほとんどのお年寄りのお目当ては子どもたちの交流にあるのではないか、ということでした。子どもたちが来るのがとにかく待ち遠しい様子なのです。

交流タイムでやってくる園児は日によって年長さんだったり年少さんだったり、あるいは全員だったりその日によって違います。しかし、お年寄りたちの多くは自分の子どもはもちろん、孫の面倒もみてきたある意味子育てのベテランです。園児への応対もとても上手です。1歳の子どもを抱き上げてあやしているおばあちゃん、3歳児といっしょに仲良く顔つき合わせて塗り絵をしているおばあちゃん、年長さんとキャッチボールをしているおじいちゃん、それぞれが園の「孫」たちと仲良く上手に遊んでいます。見ている限り、嫌がっているお年寄りは一人もいませんでした。

朗らかに遊び回っている園児たちの表情が、お年寄りの心をさらに和ませているようにも思えます。また、子どもと遊ぶことでお年寄りは身体を使い、かつての経験や知識を引き出すようになります。これは、身体の健康や心の安定にもつながるのではないでしょうか。

お年寄りは、3階の放課後等デイサービスの子どもたちにも分け隔てはしません、遊びに来ると、「○○ちゃん、元気だった?」「○○ちゃん、久しぶりだね」と声をかけます。多くは自閉症などなんらかの発達障害をかかえた子どもたちですが、お年寄りには気を許すのか、穏やかな表情で会話を交わしています。放課後等デイの子どもたちにとっても、お年寄りとの関わりには大きな意味があるようです。自分たちに分け隔てなく接してくれるお年寄りに甘えたり、廊下に誘い出してキャッチボールをはじめる子どももいます。

この光景を見ていると、子どもにとってもお年寄りにとっても、世代の違い人間同士がひとつの空間で過ごすことの大切さをひしひしと感じます。

放課後等デイサービス
自分を自分らしく解放できる空間

世代間交流施設において、障害を持った子どもを対象とする放課後等デイサービスの有効性を改めて知らされたのが、ここの放課後等デイサービスでのある出来事でした。

ある日の朝、一人の児童が学校へいくバスを乗り間違えて、まったく知らない場所で降りてしまいました。家に電話をしても親はすでに出かけてしまっていました。自分がどこにいるのか、どのバスに乗り換えたらいいのか、誰に尋ねたらいいのか、途方に暮れてしまった児童は、悩んだ末、自分が利用している放課後等デイサービスに電話をかけました。とはいえ朝一番のこと、放課後等デイのスタッフは出勤していません。代わりに電話に出た高齢者デイサービスのスタッフは児童の現在地を調べ、「迎えに行くからそこでじっとしていてね」と告げ、車で迎えに行きました。その児童は2階のデイサービスに連れてこられました。その児童は、なにか怒られるんじゃないかと最初は少しびくびくした様子でした。ところがそこでは、お年寄りたちが口々に「○○ちゃんえらかったねえ。ちゃんと自分の場所を伝えられたんだねえ。みんなが来るまでここにいていいよ」と声をかけたのです。その児童は、ホッとしつつも、自分でなにかをちゃんと伝えられたことで、それ以来、少し自身がついてきたように見受けられたそうです。

放課後等デイサービスの渡辺さんは、児童がどうにもできなくて困ったときに、施設に連絡してくれたことがとても嬉しかったといいます。その児童にとってこの施設が頼りがいがあり、スタッフを信頼してくれていることのひとつの証だと感じたというのです。

先述のように、放課後等デイサービスの利用者は発達障害の子どもがほとんどであり、なんとかやっと学校に行ける、という子もいます。その子どもたちにとって、家庭や学校以外で心を開ける場所があるのは、とても大切なことです。

他人と目を合わせることすらできなかった子どもが、少しずつでも自分の殻を破って、スタッ

放課後デイの子どもたちもいっしょに遊ぶ

フと目を合わせられるようになってきたこと。アクシデントがあったときに助けてくれるスタッフやお年寄りがいるという信頼感をもってくれていること。それは施設のスタッフにとっての喜びでもあるのです。

世代間交流を利用することで、障害をかかえた子どもが、心許せるお年寄りと出会い、交流を深めていく課程で、他人と信頼関係を持つことの大切さを学んでいきます。お年寄りは、無条件に自分の存在を肯定し、認めてくれるからです。また、お年寄りにとっては、若干手のかかる、でも、とてもかわいい「孫」との交わりができているのです。

世代間交流といっても、単に子どもとお年寄りがいっしょにいるという、上っ面のあり方を見ているだけではいけないように思います。お互いの存在が、無意識のうちに影響を与え合っている部分を見るべきです。

世代間交流施設とは、困っている子どもを無条件で守ってやりたいという親心と、大人の大きな翼の元でやすらぎを得たいと願う子どもが、いっしょになって同じ空間で働いている場所なのかもしれません。構いたい、構ってほしいというある種の飢えを満たしてくれる場所だともいえます。家庭における親の愛情だけではないなにかが、ここにはあるのです。

このような施設が増えることによって、他人とのつきあい方を学び、自分を開放できる人間が増えていくのではないでしょうか。取材をしていて痛切に感じたことのひとつです。

求められているスタッフの意識とは
気づきと気遣いを大切に

「保育や介護の現場で大切なことは、ただその場にいっしょにいることだけではない」。施設長の寛野さんはいいます。ここでは、たとえば折り紙をしている子どもがいるとき、手間取っていてもすぐに手を貸すようなことはしません。しばらく様子を見守り、そろそろ限界かなと思われるところで、ちょっとしたアドバイスを与えます。自分でその先へ進めるように、というのが真の手助けだということです。

また、園児とお年寄りが交流しているとき、スタッフはどうしても動きの激しい子どものほうに目がいきがちです。せっかくの交流タイムなのに、お年寄りがひとりぼっちで座っていることもあります。そんなお年寄りにも目配りをしなければなりません。

また、同じ部屋にいるだけで勝手に交流が生まれるかというと、必ずしもそうではありません。最初はやはりスタッフが介入する必要があります。「ただ、こちらが介入しすぎると不自然になりますからね。そこは塩梅の難しいところです」と寛野さんはいいます。

交流はすでに紹介したおままごとやお絵かき、工作など様々ですが、遊びの内容によって、このお年寄りの隣にはこの子、とそれとなく導いたりもします。初めての利用者さんの隣には気遣いの上手な年長の子、などの心配りもします。やがて園児との距離感もどんどん近くなり、文字どおりの心の触れあいが生まれてくるのです。

やすらぎ家今井亭では、お年寄りとの接し方で気にかけていることがあります。利用者さんに対して、どういう言葉を投げかければ相手の信頼を得られるか、ということです。

認知が進んできたお年寄りには、その人の過去の環境に配慮した接し方が大切です。利用者さんを受け入れる際にケアマネージャーなどから入手する情報もそうですが、利用者さんの人柄、出身地や過去の職業などの情報をなるべくたくさん仕入れます。たとえば、少し馴染めない利用者さんがいるとして、その人の出身地の方言を使ってみるとか、その人の職業に関する話題を振ってみるとか、細かいことですが、案外有効な方法のようです。そういった情報をデータにし、日々のＯＪＴの中で、職員同士が共有できるようにしています。実際に接したうえで新しい情報を蓄積することで、相手との距離感や話の間合いに役立ち、より細かい支援が可能になるからです。

この施設の大きな特徴は、３階にある放課後等デイサービスの存在です。子どもたちの中には感情の起伏が激しい子もいて、落ち着いていると思ったらいきなり騒ぎはじめることもあり、気遣います。

放課後等デイの責任者である渡辺さんは、児童デイの子どもたちが目を合わせてくれるようになったとき、はじめて子どもの信頼関係が生まれたと感じるそうです。登園をはじめてから日の浅い子どもは、なかなか他の人と目を合わせようとはしません。スタッフに見守られ、他の子どもと交わるうちに、少しずつ他人とのコミュニケーションが生まれます。やがて、行動範囲が広がり、2階にいるお年寄りのところに、自分から遊びに行くようになります。それだけでも、自閉症など発達障害の子どもにとっては画期的なことでもあります。

子どもたちは、2階にいってお年寄りに甘え、優しい言葉を投げかけられます。それはきっと、心から嬉しいことでしょう。お年寄りは、子どもたちを障害者として扱いません。子どもは全身で喜びを現し、はち切れんばかりの笑顔を見せます。「この子たちの笑顔こそが私たちにとっては最大の喜び」と渡辺さんはいいます。

世代間交流施設だからといって、勝手にそれぞれの交流がはじまるわけではありません。スタッフのちいさな心配りが、交流の流れを作っている側面があるのです。

株式会社としての世代間交流施設とは
高齢者社会の現状には、世代間交流施設が有効に機能する

世代間交流のよさばかりを伝えてきましたが、その環境を整え、そのためのスタッフを集める

のは会社やマネージャーの役割でもあります。きちんとした組織づくり、スタッフ教育も必要です。やすらぎ家の施設長である寛野さんはいいます。

「法人の位置付けや定義が違うだけですので、株式会社でなくとも、どんな法人でも利益が出なければ施設は存続の危機に陥ります。保育園の場合は、今入園している子どもが卒園するまでは閉鎖できないという責任もあります。閉園になれば、私たちスタッフも働く場所を失います。ですから、より質の高いサービスができる施設であることが求められますし、それだけのスキルと思いをもったスタッフが必要になります。スキルの維持向上のための研修は真剣に取り組むよう心がけています。複合型の施設ですし、日々の打合せもかなり綿密におこなっています。マネージャーとして、ちょっと気を抜いてミスが続くと、職場の雰囲気が壊れてしまうという緊張感は常にあります。

スタッフが足りていて、日々の業務が円滑にまわっていると、職場環境は安定し、雰囲気もよくなります。そうなるとスタッフも精神的に安定します。スタッフにとって働きやすい場所を作るのは大事なことですから。その結果として、現状ではきちんと利益を出せています。利益が出ているからこそ、さらによいスタッフを集めるための広告費なども出せます。こうした付加価値をつけられるのも、職場環境が整っているからだと思います」

グローバルブリッヂは、ここ以外にもいくつかの世代間交流施設を運営していますが、経営的に安定している施設ほど、不思議とスタッフも安定し、離職率も低くなるそうです。

実際、1階の保育園、3階の放課後デイはもちろん、2階のデイサービスも定員いっぱいの状況が続いているとのことですが、その理由のひとつには、ケアマネージャーなどが「このお年寄りは交流型の施設がいいだろう」と利用者に提案することがあります。交流型施設であることが、入居先を決める大きな判断材料となっているのです。

ただし、スタッフには、保育だけ、介護だけの施設と違った苦労があるのではないでしょうか。やすらぎ家施設長の寛野さんに聞いてみました。

「たしかに、どちらかだけの施設なら、気を遣わなくていいんだろうなあという部分はあります。でも、スタッフは基本的に楽しんでいますよ。交流については、その日その日でやってみないとわからない部分もありますし、私たちの役割は子どもとお年寄りをつなげることでもありますから、それなりの緊張感はありますけれども。ただ、いい介護をしようとすればするほど、利用者さんのことを思えば思うほど、人件費やコストがかかります。毎日、どこまでやるかやれるかのせめぎ合いですよ。でも、小規模であるフットワークを活かして、自分たちのキャパシティでできる限りのことはしたいと思っています。管理者としては経営面も気にしなければいけませんけれど、そのあたりのバランスを守っていくのが自分の仕事なのかなと思います。

それと、最近は地域の中でもお年寄りと関わることが少なくなっていますから。家庭の中とか、ちいさな世界の中にこもって子育てされている方が多いと思うんですね。でも、介護の施設がいっしょにあると、いろんな人がいて、ふつうの保育園とは全然違うと思うんですね。私たちスタッフがどうというより、子どもにとっていいことだと思います」

この施設を運営しているのは、株式会社です。本書では社会福祉法人、医療法人、ＮＰＯなど様々な組織形態の施設を取りあげていますが、たとえば株式会社が保育園を開園する際、社会福祉法人などとは違い、どこからも資金援助が得られないという現実があります。また、世代間交流施設そのものが、制度としてあるわけではなく、それぞれの組織が自分たちの工夫と努力で、ある意味「勝手に」運営しているところがほとんどです。交流型施設をつくったからといって公的補助が出るわけでもありません。

しかし、利用者や地域の人を引きつける施設であるためのひとつの方策としてあるのが、世代間交流だとグローバルブリッヂは考えています。株式会社が評価されるのは数字です。データです。しかし、そもそも保育や介護は数値化できない、あるいはしにくい業種です。

ビジネスとしての利益だけを考えると、今のところ、会社としては楽ではないといいます。しかし、世代間交流施設こそが、「子育て支援」の最適の場であり、「女性の社会進出」を促す有効な場であり、「介護予防」のための最良の場であるという考えを持つグローバルブリッヂは、今後さらに世代間交流施設を増やしていくのでしょう。

酒井医療株式会社
リハモードヴィラ白井

リハモードヴィラ白井	
住所	千葉県白井市根235-2
電話	047-497-2350（平日9：00〜17：00）
ホームページ	http://reha-mode.com/
運営	酒井医療株式会社
代表	早川 澄
ホームページ	http://www.sakaimed.co.jp/
沿革	
1881年	酒井嘉平次が医療機器製造業を開始する

1939年	酒井医療電機株式会社（現、酒井医療株式会社）を設立
2006年	千葉県白井市にリハモードヴィラ白井を開設

施設
キッズアテンダント保育園（定員32名）
リハモード　ヴィラ白井（サービス付き高齢者向け住宅　51戸）
リハモード　ホーム（地域密着型特定施設入居者生活介護　29戸）
リハモード　ケア（小規模多機能型居宅介護　25名）
リハモード　テラス（認知症対応型通所介護　定員12名）
リハモード　デリ（訪問介護）
楽リハ　デイサービス（通所介護）
リハモード　ナビ（居宅介護支援）

リハモードヴィラ白井

リハビリテーション機器を活かした「自立支援」の介護サービス

酒井医療株式会社は、創始者である酒井嘉平次が、医療機器の製造に携わった1881（明治14）年以来、135年の長きにわたって日本の医療界で活躍してきた会社です。

長年培ってきたリハビリテーション機器製造のノウハウを駆使して、介護サービスの分野で貢献したい、として2012年8月に開設されたのが「リハモードヴィラ白井」です。

沿革を見ていただければわかるように、8つの業態をもつの複合型施設です。介護施設だけでなく、保育園も併設しています。

酒井医療は、1967年、当時の白井町に事業所を設立しました。その頃の白井町はなにもない田舎町でしたが、首都圏のベッドタウンとしての千葉ニュータウン開発と、それに伴う新しい鉄道の敷設計画が進められていました。それが、現在の北総鉄道北総線（京成高砂駅―印旛日本医科大駅）です。その後、ベッドタウンは白井町を含めて拡がり続け、北総線は2000年に印旛日本医大まで完成し、白井町は2001年4月に白井市となりました。

白井市は、ベッドタウンとして成長するとともに、高齢者のための福祉施設の開設を求めていました。それに応じたのが、長年市内に拠点を構えていた酒井医療です。市が求めていたのは、地域密着の、それも複合型の介護施設でした。もともとが医療機器のメーカーということもあって、機器を使ったリハビリテーションに特色を持っている同社は、高齢者住宅だけでなく、地域の人も使えるデイサービスや、訪問介護、小規模多機能など、7つの業態を揃えた複合型施設を開設します。

その際、施設で働くスタッフのためにどうしても必要だったのが、保育所です。そこで、「キッズアテンダント」という事業所内保育を併設しました。

その後、待機児童対策の一環として、地域の方々も利用できるように徐々に地域枠を広げ、2016年4月より、キッズアテンダントは地域型保育事業として市の認可を受けました。

リハモードヴィラ白井は、北総線白井駅から車で10分ほどの郊外にあり、敷地も広々としています。園内には遊歩道があり、近隣は住宅地として発展していますが、まだまだ畑も残っていて、隣に林があることもあり、緑豊かな環境の中にあります。

県道に面した入口を入ると、中庭の両脇に2棟の建物が並んでいます。左手の建物の1階にはデイサービスと訪問介護ステーションなどがあり、2階より上はサービス付高齢者向け住宅になっています。

そして、右手の建物の1階に認知症対応型デイサービス、そして、キッズアテンダント保育園があります。

この施設にきてまず驚くのは、リハビリテーション機器の充実ぶりです。もともとが医療機器のメーカーということもあり、ホールにずらりと並んだ機器類は圧巻です。また、パワーリハビリテーションによる介護予防・自立支援プログラムも充実しています。取材当日も、多くの高齢者がそれぞれの身体に合わせて、機器を使っていました。さらに、これらの機器は、地域の高齢者が通所でも利用できるようになっています。

キッズアテンダント保育園

地域に開かれた事業所内保育園

7つの介護サービスを複合的に行っているというのもそうですが、リハモード白井を特徴づけているのは、保育園を併設していることです。

キッズアテンダント保育園の定員は32名。事業所内保育だった当初はすべての園児がスタッフの子どもだったそうですが、今ではスタッフの子どもは2割。8割が地域の子どもたちになっています。取材時の利用者数は23名でしたが、数か月後には定員いっぱいになるそうです。

取材にうかがったのは、午後の2時頃でした。この時間だと乳児はお昼寝タイムです。それでも、4人の子どもが、認知症対応型通所介護施設である「リハモードテラス」で高齢者といっしょになって遊んでいました。

キッズアテンダント保育園の園長である大原さんによると、「いまはお昼寝の時間なのですが、慣らし保育中で眠りが浅く、すぐに起き出してしまう子もいます。他の園児も寝ており、暗くしているし、『静かにしようね』と声をかけることも多く、遊びも限られてしまいます。そんなときには高齢者のところに連れていって、遊んでもらったりします。子どもたちも暗い中で遊ぶより、のびのびしています。今日は2歳児の4人ですね。まだ高齢者に慣れていない子もいますけれども興味はあるようで、時折笑顔を見せてくれます」

認知症対応型のデイサービスなので、あまり会話が成立しない人もいます。しかし、子どもたちと高齢者は、とても仲よさそうに遊んでいます。

おじいさんと男の子たちが、コマ回しをして遊んでいました。一人のおじいさんは、おそらくかつてはコマ回し名人だったのでしょう。おぼつかない手つきではありますが、しっかりと、紐を駒に巻き付けています。認知症対応型デイサービスの管理者である山上さんによると、「あの男性は認知症により、会話が成立するには難しいところがありますが、手先はしっかりと動かせるんですね。もともとは、どちらかというとあまり表に出てこない性格だったのですが、子どもたちと遊ぶようになって、積極性が出てきました」といいます。

男の子たちにコマ回しのやり方を教えているおじいさんは、どこか誇らしげです。男の子たちは、見よう見まねでコマを回しています。うまくいくと、周りにいるおばあさんたちが「わあー、上手、上手」「今度はこっちでやってごらん」などと声をかけます。男の子たちも、どこか誇らしげです。

保育園の子どもたちは、いつ、どの施設を訪ねることも自由です。もちろん、保育士が同行しますが、高齢者住宅にも、通所介護所にも自由に出入りできます。最初は臆していた子どももしだいに慣れて、まるでわが家にいるかのように振る舞うようになるそうです。

逆に、子どもたちが中庭で遊んでいると、その姿がまわりを取り囲むそれぞれの介護施設からよく見えます。デイサービスでリハビリに励んでいる高齢者が、子どもたちがやってくると、吸い寄せられるように中庭に出てくることも多いといいます。子どもたちは、高齢者とほとんど友だち感覚で遊ぶようになります。

このような施設にいると、子どもたちから、高齢者に対する垣根がどんどん消えていきます。たとえば、こんな話をうかがいました。

ある子どもが親といっしょに近所のスーパーに出かけて、おじいちゃんやおばあちゃんを見かけると、自分のほうから手を振っていったり、声をかけたりするようになったというのです。相手は知り合いでもなんでもないのにです。それを見た親は、驚きもしますが、高齢者に対する積極性は、やはり嬉しいことだといいます。

保育園に通いはじめたばかりで慣れない子もすぐになじんでいく

そんな話は、一人や二人のことではありません。垣根どころか、むしろ高齢者に親近感を持っている子どもが育っているということになります。

リハモードヴィラ白井
「コマ回しを教えた」と家族に報告する認知症の高齢者

リハモードヴィラ白井の事務長である佐藤さんはいいます。

「子どもたちとの交流ができることの最大の利点は、高齢者が自らの意志で行動を起こそうとすることでしょうか。残念なことに、多くの高齢者が、年齢とともに自信をなくしてきます。『私ももう先行きが短いから』と外部と関わろうとしない人もいます。しかし、周りに子どもがいることによって、変わるんです。

足が悪くて室内に籠りがちで、散歩に行くこともしなかった人がいます。私たちスタッフが誘っても、なかなか出てきてくれません。ところが、中庭で歩行練習をしているときに子どもたちが遊びに来て、手をつないでいっしょに歩いたんです。それからは、その人の顔が変わりましたね。笑顔が戻るんですよ。それは嬉しそうに、子どもに手を引っ張られながら歩くんです。あ

子どもたちにコマ回しを教える

あいう表情を引き出せるのは、子どもだからこそできることなんでしょうね。

また、子どもがいることによって、高齢者の活躍の場が増えます。たとえばスイカ割りや餅つきをするとき、最初は子どもたちがやるんですけれども、小さい子たちばかりなのでなかなかうまくいきません。そこで高齢者の出番です。子どもたちにいいところを見せよう、とばかりに、すごく張り切るんです（笑）。子どもたちから喝采をあびて、ちょっと照れくさそうに、でも嬉しそうにしている姿には、自信が甦っているように見えます。

子どもたちと日々交流できることは、高齢者にとってはなによりの薬なのだな、と思っています」

また、リハモードテラスの管理者である山上さんは、こんな話をしてくれました。

「私は、この施設の前に精神障害者をサポートする仕事に従事していました。そこは単体の施設でしたので、すべてを1対1で向き合いながらのサポートをするところでした。〈この人の能力を引き出すためには、どういった方法があるのだろうか〉〈力を取り戻すためには、どんなきっかけが有効的なのだろうか〉などと、いつも思い悩んでいたものです。しかし、この施設にきたことでそれらの疑問は一気に解決してしまいました。というのも、子どもがもっている素晴らしい能力と出合うことができたからです。

認知症の方も、子どもが近くにいることによって、いつの間にか自発的に行動するようになっていきます。先ほど見ていただいたコマ回しの1件です。70代の認知症の方ですが、〈子どもたちにコマの回し方を教えてあげてください〉とお願いしました。しばらくはしゃがみこんでなにやら考え込みながら、コマをいじくっていました。小さいころにコマを回したことを思い出しているのでしょうかね。やがて、コマの軸に紐をかけはじめ、コマを放り投げて回しはじめました。たとえ認知症は進んでも手先は覚えているんですね。

別の人ですが、むかしベーゴマの達人だったらしく、子どもたちにベーゴマの話をずっとしているおじいさんもいます。子どもと遊ぶことをきっかけに、忘れてしまったことが甦り、できなかったことができるようになる、ということを実感しました。そして、子どもがいることによって、高齢者が自信を取り戻せるということも知りました」

ちなみに、この人は、家に帰ってから家族のみんなに自慢げに報告したそうです。

「今日は、デイサービスに行って、子どもたちにコマの回し方を教えてやってきた」

いきいきと話すおじいちゃんに、家族が喜んだことはいうまでもありません。

佐藤さんは、施設での仕事を通じて、こんな考え方をするようになったそうです。

「施設の開設当初は、あまり経験もなかったこともあり、高齢者の日々の健康状態、精神状態に気を張っていました。でも、最近つくづく思うのですが、高齢者の感情に波があるのは当たり前のことなんですよね。体調不良の日もあって当たり前です。子どもの声が煩わしいときもあります。食事の進まないときもあります。お通じの悪い日もあります。

他人と接する機会の多いこの施設では、自宅にいるのとは違った刺激を受けます。刺激がなければ、心のコントロールをする必要もなくなります。そうなると、心身ともに弱っていくばかりになりかねません。しかし、施設は一つの社会です。ここで住んでいる高齢者は、日々、社会の風に当たっているともいえます。

子どもがいて、スタッフがいて、高齢者がいる。三世代が同居しているこの空間は、社会としてはむしろあたりまえです。こう考えてみると、生活に波のあることはいいことだ、むしろ正常な社会で暮らせているんだ、と思えるようになったのです」

確かに、生きている人の心や体調はいつも同じ状態にはありません。変化があってこそ、それに立ち向かう力が求められます。その対応力がなくなってしまう状態のほうが不自然だ、といえるのではないでしょうか。

リハモードヴィラ白井の利用者家族として「温かく見守られている」という気持ち

もともとはスタッフの子どものための事業所保育所としてスタートしたキッズアテンダント保育園ですが、今は8割が地域の子どもです。では、世代間交流施設に子どもを預けている親は、どう考えているのでしょうか。

キッズアテンダント保育園では、入所の前に、ほぼ全員の親が見学にきます。その際園では、保育園内はもちろん、高齢者住宅からデイサービス施設、パワーリハビリテーション施設にも案内し、お年寄りといっしょにいる施設であることを、ひととおり説明します。

基本的にここでも、世代間交流を行っていることに対して、親から批判的な声はまず聞かれないそうです。そして実際子どもを預けているうちに、そのよさに気づきはじめる親もだんだん増えてくるといいます。

たとえば、3月に園児による発表会と卒園式がサービス付き高齢者向け住宅の広間を借りて行われました。発表会は2階の広間で、卒園式は3階で、同日に行われました。このイベントには、施設にいる全員が、参加することができます。

ふつうの保育園では、参列するのは親と保育士だけです。ところがここでは、いっしょに遊んできたおじいちゃんおばあちゃん、さらにはずっと見守ってくれていた介護職も参加し、子どもたちの成長を喜び、送り出してくれるのです。この雰囲気に、親は「たくさんの人に見守られて過ごしてきたんだなあ」という思いを肌で感じるといいます。

こんな話もあります。キッズアテンダント保育園は基本的に0歳～2歳児の保育園なので、3歳になって、他の保育園や幼稚園に移る子どもがいます。そして、そういった子どもの親がいうのは決まって、「いまの幼稚園は、子どもしかいなくて寂しい」という言葉なのだそうです。

同じようなことは、入居している高齢者の家族からも聞きます。

「子どもたちとの交わりのある施設に入ったことで、自分の親に自信が甦ったような気がします」、とか、「いつもむっつり過ごしていたのに、活発に動き回っている姿を見て驚いています」というのです。また、こんな声もあったそうです。

「子どもとの交わりがあるからこそ楽しく過ごせるんだと思います。お年寄りだけの施設だったらここまで表情が変わったかどうか……。スタッフのみなさんはもちろんですけれども、子どもたちにも温かく見守られているような感じがしています」

リハモードヴィラ白井のスタッフとして
スタッフ同士の刺激が雰囲気をよくする

本書で取材した世代間交流施設で感じたのは、スタッフのみなさんの雰囲気のよさです。どの施設を訪れても、保育介護の区別なく、それぞれのスタッフが子どもたちやお年寄りと気さくに話しあっている光景を目にします。リハモードヴィラ白井でも、それは強く感じました。自分の仕事には責任をもちながらも、自分よりも他のスタッフのほうが適任だと思う仕事には気軽に声をかけられる体制にあるからだと思えます。

リハモードヴィラ白井ではそのことをより顕著に感じました。というのも、もともとが複合型施設なので、スタッフの職種も多岐にわたっていること。加えて、職種や資格を越えて、それぞれのスタッフが個人的に得意とする分野で、保育介護の枠を超えて協力し合う体制が、自然にできあがっているからです。言い方を変えれば、それぞれのスタッフが持っているスキルを生かせる場面が多いということになります。

たとえば、介護施設で折り紙を行うことになりました。もちろん、お年寄りだけで遊ぶことはできます。でも、子どもたちといっしょにやれば、もっと楽しいはずです。しかも、保育士の中には、折り紙が得意な人がいます。じゃあいっしょにやろうよ、ということになります。子どももお年寄りもスタッフも、和気あいあいと折り紙を楽しむようになります。

ここの敷地内には小さな畑があります。介護スタッフが耕したものです。この畑では、トマトやジャガイモなど、みんなで食べられるものを育てています。草取りなどは介護のスタッフが行っていますが、収穫は子どもたち……。子どもたちがおいしいところをとってしまっているようですが、もちろん誰からも文句は出ません。

ただし、畑に関してはこんなエピソードもあります。育てているトマトが収穫期を迎えたころのことです。子どもたちは、真っ赤に熟れたトマトの収穫を楽しみにしていました。ところがある朝、玄関先で入居者の一人が手一杯にトマトを抱えて、「ホラッ、トマトだよ。みんなにあげるよ」といいながら、登園してきた子どもたちにトマトを配っていたのです。おばあちゃんが朝の散歩で、真っ赤になったトマトを見つけて収穫してしまったのです。

子どもたちとしては、苦労して毎日水をやって育てたトマトです。自分たちで収穫したかったでしょう。ところが、楽しみはそのおばあちゃんにとられてしまいました。もちろん、悪気があるわけではありません。自分たちが収穫したトマトを子どもたちにあげて、喜んでもらおうと思ったのでしょう。

双方のスタッフは、その光景を、嬉しいことなのやら、悔しいことなのやら、複雑な気持ちで見ていたそうです。

この畑も、一人の介護スタッフの思いつきではじめたものです。みんなに喜んでもらおうと、仕事時間外を利用してつくった畑なのでしょう。今ではその畑も、子どもと高齢者、そしてスタッフの笑顔あふれる交流の場になっています。

保育と介護それぞれのスタッフが同じ施設で働くことをどう捉えているのか、リハモードヴィラ白井事務長の佐藤さんにうかがってみました。

「同じ敷地内にいて、毎日何度も顔を合わせて打合せをするんです。正直、こういった複合型施設だと、仕事量が増えるという部分はあると思いますが、表向きそれを嫌がっているスタッフはいないように見受けられます。保育のスタッフは違う会社の社員ですが、会社や職種が違っても、同じ職場で働くもの同士ですから、もちろん、日常の連絡は密に取り合っていますし、遊びの企画でも、いっしょにやったほうがよさそうな時はすぐに連絡します。お互いに垣根はまったくありませんね。だいたい、私たちがスタッフミーティングをしている場所に、子どもがいたりしますしね（笑）」

佐藤さんはもともと「高齢者施設」というものに違和感があったといいます。ひとつの施設に高齢者だけで集団生活をするのはおかしいのではないか、と思っていたそうです。そのころには世代間交流施設という考えも言葉も知りませんでしたが、酒井医療が高齢者を対象とした施設を開設すると聞いたときには、複合型の施設にするべきだという希望をもっていました。また、そこで働くスタッフのためには、事業所内保育所の併設も絶対条件だと考えていたそうです。

リハモードヴィラ白井のサービス付き高齢者向け住宅では、中庭の見える部屋が人気だといいます。子どもが遊ぶ姿が見られるからです。ところが、入居してしばらくすると、部屋の位置なんかどうでもいいという人が増えます。子どもが外で遊びはじめると、見ているだけでは我慢できなくなり、自ら外に出てくるようになるからです。子どもたちの遊ぶ姿を眺めているだけでは飽きたらなくなり、子どもたちといっしょに遊ぶようになる人が多いのです。

社会福祉法人中都もそうでしたが、中庭を建物がとり囲むレイアウトは、世代間交流にはとても有効だと思われます。中庭で子どもたちが遊んでいる声はまわりの建物に届き、その姿を見ることができます。高齢者は常に子どもたちからの刺激を受けることになるからです。

毎日賑やかな施設ですが、日曜日には子どもはいません。子どもの声が聞こえない施設内はしんとしています。高齢者の行動欲も鈍ってしまうようです。静かに過ごすことはそれはそれでいいことなのでしょうが、少し寂しくも感じます。

佐藤さんはこういいます。「世代間交流施設だから、高齢者も楽しい生活が送れるのでしょう。それは間違いないと思います」

リハモードヴィラ白井

中庭のある建物レイアウト

ずらりと並ぶリハビリテーション機器

また、世代間交流は、この施設で働くスタッフにもプラスに働くことがあります。介護スタッフのなかには保育士の資格を、保育スタッフのなかには介護資格を取得しようと志している人が出てきています。単独の施設では経験できないであろう仕事に、もっと積極的に関わっていきたいということです。

保育も介護も、人手不足や離職率が問題になっている昨今ですが、リハモードヴィラ白井でも、もちろん別の職場に移っていく人はいます。単独の施設に移る人がほとんどだそうです。そんなスタッフの一人が、こんなことをいっていたそうです。「高齢者だけの施設だと、なにか物足りなさを感じる。仕事が単調で、刺激がないように感じる。職場の雰囲気も、なにか活気がない……」

「物足りない」。この言葉は、別の幼稚園に転園した子どもとその親からも聞かれた言葉です。「高齢者がいない物足りなさ」「子どもがいない物足りなさ」。この感覚は、いずれも、今のところ数値で表せるものではありません。ただ、世代の違う人たちと日々いっしょに過ごすことは、高齢者と子どもにとっていい刺激になっていることはもちろん、スタッフや保護者もその効果を実感しているということは間違いないようです。

地域に密着した福祉事業に問われていること
今後施設をどう運営していくか

これまで見てきたように、リハモードヴィラ白井では、利用者も子どももスタッフも、楽しい日常を過ごしています。とはいえ、施設としての課題はありますし、現状に満足するのではなく、もっと色々なことにチャレンジしてみたいといいます。それぞれのスタッフに、うかがってみました。佐藤さんは、事務長としての立場からこういいます。

「スタッフの表情の明るいことがいちばん嬉しいことです。仕事への不満はまず最初に表情に出るものですから。介護のスタッフは、契約を除けば現在70数名で、人員的には、もう少し多いほうがいいのでしょうが、ただ増やせばいいというものでもありません。ですから、いまいるスタッフには少しでも長く職場に居続けて欲しい、というのが正直な気持ちです。過度の人員の入れ替えが続くと、どうしても不備が生じてしまいますし、事故の原因にも繋がるからです。

でも、この職場のスタッフの定着率はいいほうだと思います。職場の雰囲気がいいからだと思っています。だからこそ、もっとよい雰囲気づくりを目指したいのです。そのためにも、保育が併設されていて子どものことを心配することなく働けることは、プラスになっています。

それと、交流を施設内だけで行うのではなく、地域との交流もどんどんしていきたいのです。

今でも、近所にある小学校から児童が遊びに来て、いっしょに折り紙をやったりもします。園児としては、少し年上のお兄さんお姉さんと遊ぶことができます。お年寄りとも職員とも世代が違うので、子どもたちはまた違った刺激を受けます。欲をいえば、中学生や高校生とも交流できる環境を作ればいいなと思います。交流の幅がさらに拡がりますから。

たとえば、3歳になって他の幼稚園に移った子がいますが、幼稚園が終わると送迎バスでこの施設まで送ってもらっています。幼稚園を終えた子が2、3時間をここで過ごしています。このシステムを、学童に活かせないものかと考えています」

佐藤さんは、これからの高齢者介護のあり方を考えるうえでも、学童を含めた保育施設の充実がますます重要になると指摘します。今後、少子化が進み、保育所が選択される時代が到来したときに、施設の特徴としてアピールできるのが、保育と介護を融合させた世代間交流施設であると考えているそうです。

リハモートヴィラ白井は、もともとが複合型施設であるところに加えて、保育園があることで、利用者にとってもいい環境がつくられていると思えます。しかし、まだまだ試行錯誤は続くのでしょう。現状の課題と、今後の展望についてもうかがってみました。佐藤さんはこういいます。

「基本的な課題はまだまだあります。うちの場合、施設内に保育園があることを、地域の人にアピールしきれていないんですね。そのあたりはまだ下手だと思います。子どもたちの創作物をフェンスに貼ったり、いろいろアピールしていきたいと思っています

あと、やっぱり人手の問題ですね。応募して来られる方には、丁寧に施設内を見てもらうなどもしているのですが、ここで働く魅力を伝えるという意味でも、施設内に保育園があることは、もっとアピールしていかないと思っています」

また、キッズアテンダント保育園園長の大原さんはこういいます。

「私はずっと保育の世界で仕事をしてきたので、正直いって、最初は介護施設といっしょに保育園があることが不思議でした。私だけじゃなくて、保育士みんなが〈世代間交流ってなに?〉っていう感じでしたから。でも、ここで仕事をしているうちに、介護の世界にどんどん興味が出てきました。保育士のなかには、介護の資格を取ろうとする人も出てきました。私も、保育だけの世界に戻ると、たぶん物足りなく感じると思います。この施設だけということではなくて、世代間交流というやり方そのものを、もっとアピールしていきたいですね」

最後に、酒井医療の顧問である、油谷さんに、施設の運営についてうかがってみました。

「経営的なことでいうと、複合型施設だからこそ，補完し合えているという状況です。世代間交流をしていることで、なにか加算があればいいのですが、今はそれもありません。

世代間交流をしている現場では、利用者さんもスタッフも、基本的にはいい話ばかりが出てき

ます。ただ、マイナス面というのも必ずどこかにあるはずです。プラス面が大きいので、目立っていないということでもあると思います。今後、世代間交流がどういう形で発展して行くのかはまだわかりませんが、運営側としては問題点も浮き彫りにしつつ、ハード面、ソフト面、それぞれいい形にしていきたいと思っています」

リハモードヴィラ白井の特徴としては、もともとが複合型の施設である、豊富なリハビリテーション機器が揃っているなどいろいろありますが、世代間交流という視点でいえば、やはり中庭があることでしょう。中庭から子どもたちの遊ぶ声や泣き声が聞こえてくれば、高齢者は自然と反応してしまいます。各施設の境目にある中庭で子どもが遊んでいることによって、様々な効果が生まれていることは、ここまでお読みいただいたとおりです。また、あくまで取材時で、ということですが、子どもたちといちばん交流していたのが、認知症の高齢者だったのも印象的でした。

世代間交流の現場を取材していると、いい話ばかり聞くことができます。しかし、油谷さんの「世代間交流はいいことずくめのように見えても、どこかに問題点もあるはず」という言葉にもあるように、世代間交流の形には、これからの部分がたくさんあります。リハモードヴィラ白井の挑戦は、まだまだはじまったばかりなのです。

NPO法人るんるん

保育所「善毎（ぜんまい）」	
住　所	瀬戸市下陣屋町28－11
電　話	0561－76－7753
ホームページ	http://noporunrun.com/
運　営	NPO法人るんるん
理　事	長江保明
沿　革	
1994年	長久手町（現長久手市）に長江保明が有限会社ハートフルハウスを設立

2003年	NPO法人るんるん設立 瀬戸市末広町にデイサービスセンター「ひらひらてふてふ」開設
2011年	瀬戸市下陣屋町に小規模多機能型居宅介護、グループホーム、保育所の一体的施設を開設
施設	
保育所「善毎（ぜんまい）」（定員13名）	
小規模多機能型居宅介護「笑楽日（わらび）」（定員25名）	
グループホーム「風楽里（ふらり）」（定員9名）	
デイサービスセンター「ひらひらてふてふ」（定員10名）	

68-84

「NPO法人るんるん」における世代間交流施設
地域に密着した福祉サービスを

NPO法人るんるんの前身は、1994年9月に設立された、民間の福祉サービス事業「有限会社ハートフルハウス」です。ハートフルハウスは、それまで生活相談員をしていた長江保明さんが、地元の人びとの要請に応じ、介護に困っている家族の手助けになればとの思いから、愛知県長久手町に設立した居宅介護支援事業です。

最初のうちは、「居宅介護支援」「訪問入浴介護」「宅配給食」などの福祉サービス事業を、ボランティアを募って進めていましたが、「有限会社という母体では利益を追究しているように思われる」「福祉で利益をあげてはいけない」という周囲からの意見も多く、ボランティア活動に消極的な声が増えてきました。当時は、困っている人を助けるのが福祉だ、という考え方がまだまだ主流で、「有限会社」という名称が「営利を目的とするもの」と受け止められていた時代でした。

しかし、長江さんの思いは、あくまでも地域に密着した福祉事業にありました。地域の人びとの手を借りながら事業を進めていくのが、福祉本来のあり方ではないか、とも考えていました。ハートフルハウスの設立以来、長江さんは一貫して、民間にありながら地域福祉に関心をもち続けてきた人なのです。

高齢者の介護を社会全体で支え合っていく仕組みとして介護保険制度が導入されたのは、2000年4月のことですから、かなり早い時期から、地域における福祉サービスのあり方に思いを寄せてきた人でもあります。

やがて長江さんは、「地域の人びととといっしょに福祉事業を続けていくには会社組織ではダメ」、「地域住民が福祉サービスに抱いているイメージのためには、非営利法人であることが大切」、と考えるようになります。地域の人びとの思いを受け入れた上で、地域密着型の福祉サービスのあり方を目指そうとしたのです。そして、長江さんは、2003年に「特定非営利活動（NPO）法人るんるん」を設立します。

その第一歩が、地域からの要請に基づいて瀬戸市末広町の商店街に開設した「デイサービスセンター　ひらひらてふてふ」です。この施設は今も、町のお年寄りの憩いの場となっています。

その後も長江さんは、長久手・瀬戸地域を中心に福祉サービス事業を展開し、現在、じつに12の介護事業に携わっています。

そして2011年、長江さんは、瀬戸市下陣屋町に、小規模多機能型居住介護施設「笑楽《わら》日《び》」、認知症対応型共同生活介護としてのグループホーム「風楽里《ふらり》」、事業内保育所「善毎《ぜんまい》」の3つを一体化させた施設をつくります。これらは、地域密着型の福祉サービスの一環としてはじめられました。名鉄瀬戸線の瀬戸市役所前駅から徒歩数分、名古屋駅からわずか30分ほどとは思えないほどのどかな、緑豊かな住宅地の中にあります。焼き物の町らしく、元は製陶所だった場所だそうです。

保育所である「善毎」の名は、「善い毎日を、おもちゃのゼンマイ、わらび・ぜんまい」のように力強く、という思いを込めてつけたといいます。そうすると、「風楽里」は「認知症の人がいつでもフラリと遊びに来られるように」との思いが込められているのでしょうか。あるいは逆に、「施設に入居している人が、フラリと出かけても安心ですよ。ちゃんと見守っていますから」という思いなのかも知れません。

これら3つの施設が入る、木をたっぷり使った建物は、一歩中に足を踏み入れてみると不思議な魅力にあふれています。柱や梁の木材の使い方に工夫が凝らされていて、落ち着いた雰囲気の中にどこか懐かしみのある空間です。外観からではわからない、びっくりするほど奥行きのある廊下の両脇には、入居者の部屋が続き、団欒の場も設置されています。廊下の奥がグループホームの歓談の場です。そこではお年寄りが思い思いの格好でくつろいでいます。

敷地の入口から建物の右脇にはレンガ畳みのアプローチが弧を描いて続いています。進んでいくと、その先には保育所用の玄関があります。この玄関から入って、介護施設の2階部分が保育施設です。鉄筋コンクリートで作られた建物に木材をあしらった室内は、まるで木造づくりのよ

アプローチから玄関に入ると長い廊下がある。

うな雰囲気です。ここの空間にも、柱や梁に用いられた木材が効果的に使われています。木に囲まれた室内で、子どもたちは2階であること忘れてはしゃぎまわっています。

この空間こそが、周りを緑に囲まれた、瀬戸という地方都市にある福祉サービスのあり方を物語っているようにも思われます。昔ながらの木造建築の雰囲気を活かした空間が、高齢者と子どもとの交流を穏やかながらも活気のあるものにしているのだ、と思えるのです。

長江さんは、もともとは教師をしていた人です。それがなぜ、福祉の世界に入ったのでしょうか。

「1986年に、長久手に特別養護老人ホームができたんです。私はその翌年からその施設で働くようになりました。ただ、設立から3年ぐらいは、地元の人はほとんど利用者がいなかったんです。当時は、老人ホームに親を入れると〈自分の親を施設に入れるなんて〉などと、いわれるような時代でしたから。

地元にある施設だからこそ、家族は複雑な思いに駆られるんでしょう。近所づきあいの多い地方都市だからこその悩みなのかもしれません。でも、そんな悩みも時代の動向とともに薄れてきているようです。いまや、介護は家族だけの問題ではなくなってきたという時代の波が、ようやく現実の問題としてこの地方にも押し寄せてきているんでしょう。だんだんそういった介護施設の必要性が理解されるようになって、入居者も増えていきました。ところが、施設を利用できないお年寄りもまだいたんです。たとえば、感染症で施設の利用を断られたり、疥癬の人が家で寝たきりになっていたり。そういう人たちの受け皿がなかったんです。でも，誰かがやらなければいけない。だったら、もう自分がやるしかないと。それで立ち上げたのがハートフルハウスだったんです。最初はたいへんでしたよ。委託事業でもないし、そもそも介護保険がはじまる前の話でしたから。それでも、頼まれれば断るわけにはいかないし、なんでも引き受けていました。それでもなかなか食えるようにはならなくて、夜は別のアルバイトもしたりしていました」

しかし、冒頭でも書いたように、当時はまだまだ「福祉サービスなのにお金取るの？」という時代です。「営利を目的とするのならもう手伝わない」という地域の人もいました。そこで長江さんは、2003年に、NPO法人るんるんを立ち上げます。

「正直にいうと、有限会社でもNPOでも、することはおなじです。ただ、営利を目的としないNPOのほうが、イメージがよかったのは確かです。ボランティアなど、地域の人たちの協力がなければいい施設の運営はできないですから。今では、介護に対する人々の認識もずいぶん変わってきましたけれども、当時はそういう時代でしたから」

長江さんは、地域で困っているお年寄りの声に、どんどん応えていきました。その度に事業の幅は拡がり、今では、高齢者やその家族の要望に応じて、「通い」「訪問」「泊まり」の3形態のサービスを一体的に受けられるようになっています。家族の状況や突発的な出来事にも臨機応変に対応できるように、いつでも支援できる生活の拠点を作り上げたのです。それが、現在瀬戸市の下陣屋町にある、グループホーム、小規模多機能型居宅介護を一体化した施設です。

「保育所を併設したのは、保育がないとなかなか人手が集まらないからです。今でこそ声高にいわれていることですが、女性が働きやすい職場環境を作らないといけないと思っていました。実際、出産や育児でやめていく職員も多かったんです。だから最初は、保育所でなくても、職員の子どもが勝手に遊びに来てここで時間を過ごして、お母さんはそのまま働いて貰えばいい、というざっくりとした施設でもいいぐらいに思っていました。あと、繰り返しになりますが、こういう福祉施設は、地域の人に関わって貰わないと、いい運営はできないと思っています。地域の人が気軽に入ってこれるような施設にするためには、保育所があるほうがいいと思ったということもあります」

当初は、必ずしも施設運営としての世代間交流を目的とした施設ではなかったということですが、それ以前の問題として、長江さんはこうも考えているといいます。

「本来、社会というものは、親がいて子どもがいて、そして多くの場合にはその親であるおじいちゃん、おばあちゃんがいます。三世代、ときには四世代の人びとがいっしょに暮らしていることが自然なのです。しかし、介護施設に入ってしまうと、高齢者だけの空間になってしまいます。ただ日々を過ごして、だんだん弱っていく。これは異質な空間なんじゃないかと思うんです。こんなのでいいのか？　と。だから、いろんな世代の人が混ざり合ってわいわいやっているような施設にしたかったんです」

小規模多機能型居住介護　笑楽日・グループホーム　風楽里

人間は役割を持つべき

少し話はずれますが、介護施設にお邪魔して思うのは、女性の場合は、割とすぐに他人と打ち解けて世間話に明け暮れていたりもします。しかし男性の場合、なかなか他の人と仲良くならないことが多いのではないかということです。さらに、なにもしないでいることを、どこか苦痛に感じているようにも見受けられます。ここでも、施設を利用している高齢者の男女比は、女性8：男性2。もしかすると、男性は肩身の狭い思いをしているのではないでしょうか。

施設にいて新聞や本を読み、テレビを見、ときに誰かと将棋や碁を打ったり、カラオケに興じていても、どこかで満足していないように感じます。男性の場合には、あまり趣味もなく、ただ仕事に明け暮れてきたような人が多いよう思えます。そんな男性にとっては、働いていることこそが大事です。

女性に比べると、男性の場合は、仕事をすることで他人に貢献する生き方をしてきた人が多いのは確かでしょう。長江さんはいいます。

「男性には、施設でもなにかして働いてもらおうと思うんです。仕事は生きがいにもなるし、介護を受けに来るのではなくて、仕事をしにくるんだという意識で来てもらうということです。寝たきりで天井を眺めて1日を過ごして楽しいはずがありませんから。誰かの役に立てるように、内職でもなんでもいいから仕事をつくっていくのが、今後の課題ですね」

すると、施設の責任者である久田さんが、こんな話をしてくれました。

「うちのグループホームに来ている利用者さんで若年性の認知症の方がいますが、まるで従業員みたいに働いている人がいるんです。

朝、施設にやって来ると、みなさんにお茶を出したり、その後片付けをしてくださいます。〈○○さん、どうぞ椅子に座ってください〉と勧めても、〈いえ、私は仕事でここに立っているので大丈夫です〉といって絶対に座ろうとはしません。食事のときなどにも、せっせと後片付けをしてくれます。

私たち従業員はいつも、〈利用料をもらっているのに、働いてもらっちゃ悪いわね〉などと複雑な気持ちでいるのですが、○○さんにとっては、それが自分に課された役割で、生きがいなんだと思います。認知症の利用者でも、なんらかの役割を果たすことで心を平穏にできるのですから、入居者には、もっと積極的に役割を課すことに意味があるのかもしれませんね。

女性の場合には、子どもたちが側にいると、かつての子育てのころを思い出すんでしょう。〈面倒をみなければ〉と思うんでしょうね。元気になる方が多いですよ。時にはおばあちゃん同士で子どもを奪い合ったりもしますけれども（笑）」

役割を持つということが、その人の生きがいになる、ということは真実なのでしょう。まるで喫茶店のマスターかプロのバーテンダーのように働くおじいちゃん、砂場で遊んでいる子どもたちを心配して声をかけているおばあちゃん。とても認知が進んでいる方には見えませんでした。

長江さんは、こうもいいます。

「施設に働きに来て帰る、ということが本当の意味での介護であり、福祉サービスのあり方なのかも知れませんね。認知症の人にもどんどん役割を与えていくべきだと思います。だいたい、施設にただ閉じ込められているだけというのはおかしなことですよ」

保育所　善毎

さまざまな人と触れ合いが健やかな成長をうながす

地域に暮らす人びとのための福祉サービス施設は、そこで働く人びとの保育にも結びつきます。仕事と育児に励んでいる地元のお母さん、お父さんをサポートする保育施設としての需要です。その結果、親が安心して働ける環境へと結びつくのです。

ＮＰＯ法人るんるんが運営する保育所「善毎」を利用しているのは、今のところ施設で働いている親の子どもがほとんどです。パートさんの子どもが多いので、短時間保育がメインになっています。小学校の終了時間に合わせて帰ってしまうパートさんが多いので、この状況を、長江さんは、少しもったいないといいます。

「小学校での授業を終えた児童が、帰りにこの施設に寄ってしばらくの時間を過ごし、親の仕事が終わったときにいっしょに帰れるようにできたらいいんですけどね。そうすれば、親はもっと長時間働けますし、子どもも安心してこの施設で遊べます。でも、いろいろ規則があって、それを実現するのは難しいんです」

保育士の今井さんにもうかがってみました。

今井さんはかつて保育園で働いていましたが、しばらく保育の仕事から遠ざかっていました。

ところが自分のおばあさんが通っていたデイサービスで、世代間交流が行われているのを見ているうちに、「ああ、こんな施設でなら、もう一度保育士の仕事をしてもいいなあ」と、善毎の公募に応じたそうです。

「もっと地域の人に保育所を活用していただきたいと思うのですが、乳児、幼児、児童をいっしょに預かるとなると、制度上の問題もあります。ですから、まずは乳幼児のための保育所として、地域の人びとの暮らしに密着したサービスを心がけようと思っています。それと、地域の人にもっと多世代とふれあえるこの保育所の存在意義をアピールしていきたいですね。なかなか難しいんですけれども」

地域の人たちにこの施設のことを知って欲しい、どんどん利用して欲しい。そのためには、この保育所の素晴らしさを、地域に住む親たちにどのように告知していくか、というのが今後の課題だそうです

NPO法人るんるんでは、地域へのアピールの一つとして。「子ども食堂」というイベントを行っています。食を通じて健全な子どもを育成するために、地域の人と子どもたちがいっしょに料理をしてそれを食べる、というイベントです。キャッチフレーズは、〈おいしいことはいいことだっ〉です。その下にこんなメッセージが書かれています。

「子どもはみーんな、まちのみんなの宝もの。みんなでいっしょに子育てを楽しみ、考えていく仲間を増やしたいと思います。子どもたちが『あったか〜い』と感じることをたくさん経験できるようにしたいと思います。みんなでごはんを食べながら、楽しい時間、ホッとする時間を楽しみたいと思います。がんばりすぎていませんか？　心がさびしくなって、辛くなっていませんか？　困った時にゆるりと甘え合える。あなたを必要とする人が、きっと、ここにいますよ」

最近は子ども食堂が広がりを見せつつありますが、子どもも大人も、地域の人たちが「ふらり」と遊びに来てくれるような施設にしたい、という思いで、月に2回行われているイベントです。

このように、様々な試みを行っている施設ではありますが、まだまだ課題はたくさんあるのだと久田さんはいいます。

「夏休みや冬休み期間中は幼稚園が休みになるので、一時預かりのお子さんが増えます。保育所としては、事業所内の乳幼児と一般の乳幼児との割合が半々ぐらいがいいと思うのですが、なかなか思うようにはなりません。早朝や夜勤の人のためにも保育所は対応していますが、そんな方ばかりになってしまっても困りますけれどもね。また、事業所内保育の方でも、週1日から週6日と、パートさんの都合によって、日替わりの契約を交わしているので、日によって預かるお子さんの人数もばらばらです。利用者数に応じてスタッフの数を揃えなければならない、という苦労もあります」

地域への周知という意味ではまだこれからの部分もあるようですが、世代間交流による効果そのものには目を見張るものがあります。その第一は、高齢者のとくに女性に大きく現れているといいます。久田さんはいいます。

「女性の場合には、子どもがいることで、〈子どもを見守らなければ〉という思いに駆られるようです。ご自身がかつて子育てをしたころに戻っていくのでしょうね。母親としての役割に目覚めるとでもいうんでしょうか。子どもが安全に遊んでいるかどうかに目を配らせています。時には、『危ない！　転ばないように気をつけて遊ぶのよ』などと声をかけます。子どもがいっしょにいることで、表情が和らいだり、周りの雰囲気が明るくなるだけでなく、お年寄りに活気が出てきます。時には子どもの奪い合いをするぐらいかわいがりますから。

また、子どもといっしょに散歩に出かけるお年寄りもいます。途中で疲れてしまって帰ってこられなくなってしまうこともありますが、逆にいえば、それほどまでに行動力が増すのです。これはいい傾向だと思っています。私たちスタッフも、こういった交流を消極的に捉えるのではなく、積極的に見守ってもいいのでは、とも思います」

先述のように、善毎の場合は日によって子どもの顔ぶれは違いますが、高齢者にとってはどの子も同じ、「自分の孫」。贔屓することなく子どもの動向に目を配らせているといいます。

子どものほうの対応も、年齢に応じて少しずつ変わっていきます。0歳児のうちは、自分から手を出してお年寄りに近づいていっていた子どもも、1歳になると自意識が芽生えて恥ずかしがるようになります。2歳児ともなると、今度は自分から「おはよう」と挨拶するようになるそうです。お年寄りは、「危ない」「気をつけるのよ」「ご飯をこぼすから、もう少し前に出なさい」と、こどもをあたたかく見守っています。

こういった日常の生活を説明してくれながら、久田さんは世代間交流施設への思いを、こんなふうに説明してくれました。

「以前の私は、お年寄りに対してそこまで親しみは感じていませんでした。でも、ここで仕事をするようになってから、その考えは180度変わりました。

お年寄りのいっていることは、理に適っていることが多いと知らされたのです。昔の人のいうことは、いろいろな経験に裏打ちされていることが多いのです。子どもに接すること一つとっても、スキンシップの大切さを知っていますし、危ないことをする子どもを叱るタイミングも的確です。子ども食堂の日でも、火の扱い方や料理の仕方、山菜料理でのあく抜きの方法や調理道具の使い方もよく知っています。私たちの世代が学び忘れてきてしまったことが、お年寄りの身体には当たり前のこととして生き続けています。

そんな体験を繰り返しているうちに、お年寄りが好きになってしまったのだと思います。むしろ、尊敬の対象になってきたんですね。

お年寄りと子どもとがいっしょに生活できることのプラス面がいかに多いかを知らされたのだと思います。その結果、いまでは世代間交流施設は素晴らしい、と自信をもっていえるようになりました。この世代間交流を通じた人びととの触れ合いこそが、おたがいが健やかに成長していくための大きな要因になっていると思えるからです」

◤ＮＰＯ法人るんるんのスタッフ　いい保育、いい介護から地域に拡げる

現在、ＮＰＯ法人るんるんは、保育士６人と介護士30人、厨房や事務職のスタッフなどを含めた40人で施設を運営しています。

しかし、職種の違いはあっても、ＮＰＯ法人るんるんの目指すところは同じです。少しでもいい保育をし、いい介護をすることによって地域の人びとに喜ばれ、認められる施設にしていくことです。

では、NPO法人るんるんが目指している、いい保育、いい介護とはなにでしょう。長江さんはこう説明してくれました。

「地域に密着する施設であるためには、介護スタッフと利用者のご家族とがオープンに話し合いができ、協力し合える雰囲気のあることが大切です。その意味では、規則に縛られたギスギスした関係ではなく、ザックリとした関係であることが必要なのでは、と考えています。

問題は、施設内にいる高齢者も幼児も、そしてスタッフもが、どうすれば生きがいをもって健やかに活動できるかということです。

お年寄りだけを集めても、内輪もめになってしまうこともあります。その原因は、生きがいがなくなってしまうことにあると思うのです。お年寄りしかいない空間は、やはり不自然です。

保育所があることで、ここには一つの社会が生まれます。社会に参加することで、お年寄りにも生きがいが生まれます。それと、子育てはとくに女性にとって大切な生きがいの一つです。子どもがいることで、女性の世間話にも花が咲くのです。『うちの孫はこうだったよ』『私は子育てでこんな苦労をしたよ』とか話したりしています。ただし、男性のなかには、子育てに関心をもてない人もいます。また、子どもが嫌いだ、と平然という人もいます。それを否定することはできません。しかし、読書、テレビ、カラオケばかりでは飽きがきます。

子どもとの交流もそうですけれども、男性にとって大切なのはやっぱり仕事ですね。施設内で家具の修理をする。大工仕事をする。陶芸をして施設内で使う食器を作る。なんでもいいのです。以前、うちのデイサービスでもおじいちゃんが5人ほど集まって、木工部というのを結成していました。椅子とかテーブルとかいろいろ作ってくれました。お年寄りは、もともとなんらかの技術や職業を持っているんですよ。認知症や障害のある人でもそうです。

そうすることで、高齢者に生きがいがよみがえり、施設内に活気が生まれてくるんだと思います。その雰囲気は、同じ施設にいる子どもたちにも伝わります。子どもたちも、もっと多くの経験ができるのではないでしょうか。幼児にとっては、高齢者の技術を見るという貴重な体験ができます。

高齢者にどのようにして生きがいをもってもらうか。それが、高齢者福祉にとっての今後の課題ですね」

NPO法人るんるんには、独特の考え方があります。それは、これまで取材してきたどの施設とも違うものでした。それは、瀬戸市という地方都市特有の雰囲気がもたらすものかもしれませんし、個性あるスタッフが作り上げる雰囲気なのかもしれません。また、理事長である長江さんの独特の感性によるものなのかもしれません。

介護施設はもちろん、保育施設にもいくつかの形態があります。保育所「善毎」も、事業所内保育所である以上、制約もいろいろあります。しかし、語弊はあるかもしれませんが、長江さんの究極の目的は、「困っている人がいれば手を貸しに行く」。そして、「地域の子どもでも大人でも、気軽に入ってきていっしょに過ごせる場所をつくること」なのではないかという印象を受けました。

今後の課題は、ここがどういう施設であるかを、どのように周知していけるか、ということだそうです。困っている人に頼まれたら嫌とはいえない、という長江さんのスタンスが、NPO法人るんるんの事業の幅を拡げてきました。今後も、地域の需要がある限り、困難を乗り越えて活動を続けていくのでしょう。そして、活動を続けている限り、地域密着型の施設として、地域の人たちに認知されていくのではないかと思えました。

終章　保育と介護はどのように融合できるか

取材を通して、私たちは世代間交流に大きな希望を感じました。

施設に足を一歩踏み入れただけで、そこに集っている人びとの楽しげな雰囲気が伝わってきます。陽射しをいっぱいに浴びながら、子どもとお年寄りとが仲良く遊んでいる光景が目に飛び込んできます。お年寄りに囲まれて、コマ廻しに興じている子どもの姿が思い出されます。和気あいあいとした雰囲気のなかで子どもたちとお年寄りたちとが一緒に食事をしている場面が甦ってきます。

「おばあちゃんは、大きくなったらなにになりたいの？」という子どもの質問に、「おばあちゃんは大きくなったらお姫様になりたいのよ」と平然と答えていたお年寄り。

「ホラッ、よそ見をしないでちゃんと食べるのよ」

「椅子をもう少し前にもってきたほうが、こぼさないで食べられるんじゃないの」

「食べ物に好き嫌いをいってていちゃだめよ。なんでも食べなくちゃ大きくなれないよ」

などと、子どもの一挙手一投足に目配りをしているお年寄りの温かい眼差し。

本書で何度も述べてきたことですが、核家族化し、地域社会との関わりも薄れてきた中で、こんな光景が毎日のように繰り広げられている施設があることを、ぜひ知っていただきたいのです。もし、このような施設が身近に建設されるのなら、自分の子どもを通わせたいという親も多いのではないでしょうか。多くのお年寄りが入居を希望するのではないでしょうか。また、こんな施設のあることを知った多くの人は、自分の地域にこのような施設ができることを歓迎するのではないでしょうか。

世代間交流施設は、お年寄りの健康維持のために役立つだけではなく、待機児童解消にも役立つはずです。定員オーバーのため入所を拒まれている子ども（乳幼児）を、たとえば介護施設内に併設された保育施設で預かることが可能になるからです。

しかし、ことはそう簡単には進まないようです。

介護施設に保育の場は設置できる

まず、お年寄りがおかれている現状から、世代間交流施設の可能性を考えていきましょう。

数字が並ぶので多少難解に感じるかもしれませんが、具体的な数値を挙げながら説明したほうが理解しやすくなると思います。

現在、日本にはさまざまな形態の介護施設が存在しています。

２０１４年における介護予防サービスの事業所は、介護予防訪問介護が３３０６０事業所、介護予防通所介護が３９３８３事業所となっています。また、介護サービスの事業所数では、訪問介護が３３９１１事業所、通所介護が４１６６０事業所となっています。そして、介護保険施設では、介護老人福祉施設が７２４９施設、介護老人保健施設が４０９６施設、介護療養型医療施設が１５２０施設となっています（以下もすべて、厚生労働省からのデータを元に話を進めていきます）。

仮に、このうちの７２４９施設ある介護老人福祉施設を対象に、世代間交流施設の設置を考えたとき、その現実味はどのくらいになるでしょうか。試算してみます。

その場合、介護施設内にスタッフ用の事業所内保育、あるいは小規模保育を設けるというのが現実的なプランだと思います。そして、保育所の設置に当たっては、「子ども・子育て支援法」で新設された、0歳児から2歳児を原則とした地域型保育給付による財政支援を選択することが多いと思われます。

ちなみに、「子ども・子育て支援法」では、教育・保育施設に対する財政支援として、0歳児から5歳児の認定こども園、幼稚園、保育所を対象とした「施設型給付」と、0歳児から2歳児の小規模保育、家庭的保育、居宅訪問型保育、事業所内保育を対象とした「地域型保育給付」の二つの給付制度を新設しました。

小規模保育の場合、保育施設の定員は6名から19名となるので、保育施設を検討するときには、少なくともそれぞれ4~6名の常勤保育士と非常勤保育士の確保が必要になります。

一方、介護スタッフが保育所を利用する確率を概ね10%程度と試算すると、常勤非常勤を含めて50~60名を要する介護施設がその対象となります。このように考えると、法人にもよりますが介護施設の定員は、少なくとも80名以上の規模であることが条件になります。

以上の条件のもと、この規模に当てはまる全国の老人福祉施設を検討してみます。定員80名以上の施設数は2709施設あります。仮に、これらの施設すべてで地域型の保育を定員19名で設置できたと想定すると、51471名分の保育定員が確保できることになります。ただし、地域型は原則として2歳児までに利用が限られています。したがって、3歳以上児の保育施設の確保が必要になります。この場合、ニーズに応じて定員を増加し、施設型の認可保育所に移行するケースも十分考えられます。これも一つの解決策です。

以上が、介護福祉施設を対象とした試算です。

介護施設としてはこのほかにも、2016年時点でのサービス付き高齢者向け住宅は6124棟(199860戸)、2014年時点での有料老人ホームは9581棟、認知症対応型共同生活介護(グループホーム)は12497施設あります。これらの介護施設に関しても、保育の設置は可能であると考えられます。

このように、介護施設側から検討したときに、世代間交流施設の可能性は多々あることがわかります。つぎに、子どもを預かる保育の側面から考えてみましょう。なかでも大事なのは、待機児童を解消するためにはどのような方策があるかです。

潜在的待機児童数は100万人に及ぶ

働く女性の状況から見ていきます。

いわゆるM字カーブを描くといわれている働く女性の分布曲線は、年々改善の傾向にあるというものの、2014年を例にとると、もっとも就業率の高い25～29歳では79・3％、45～49歳では76・8％と左右のピークを示しており、30～34歳では71・0％、35～39歳では70・8％と減少しています。その理由は、結婚と出産にあるといわれます。それでもM字の底の数値は、10年前に比べると9・6ポイント上昇しています。まだまだ問題はありますが、保育所に預けて働く環境はよくなっているのです。

一方、同年における女性の非労働力人口は2908万人で、そのうちの303万人は就職を希望しています。ところが、「出産・育児のため」求職できないでいるのです。さきのM字の底を対象とする女性が該当しているのでしょう。その数値が34・6％となっているので、303万人のうちの104万人が、子育てのために就業できない状況にあることになります。

ちなみに、2015年の出生数は、およそ100万8000人です。保育所は、0歳児から5歳児までを対象としています。つまり2010年から2015年までの乳幼児が対象となります。この6年間の乳幼児数は、合わせて619万8030人となります。

では、乳幼児を受け入れてくれる保育所の定員数はどうかというと、253万人でした。

上記の単純計算から、保育所の定員数は、現在の253万人に104万人を加えた、357万人分は必要ということになります。この数字を見ると、劇的に保育所が増えない限り待機児童問題は解消されないともいえます。

ただし、今後の出生数の推移を考慮に入れると、出生数は毎年2〜3%ずつ減少していく傾向にあります。したがって、現状の104万人分の保育の場をどのように確保していくかを、最大値として考えるべきだということもできます。

また、実際に公表されている待機児童数が5万人未満であることを考えると、残りの100万人はその対象になっていないことになります。待機児童は大都市特有の問題といわれることもありますが、すべての乳幼児が都心部だけに偏っているということも考えられないので、この104万人は全国に少しずつ分散していることになります。つまり多くの乳幼児が、潜在待機児童として存在しているのです。

保育の必要性は、傷病や災害や学業などいろいろありますが、そのほとんどが就労と同時に発生するものです。潜在待機児童は、就労が発生したときに顕在化します。ということは、ほぼ100万人の女性が、出産や育児を契機に一定期間は働くことを諦めていることになります。この場合は待機児童には含まれていません。その人たちは、働きたいという意欲はあっても、保育の場がないために働けないと諦めてしまっているケースも多いのです。

これが、現在の私たちがおかれている介護施設と待機児童の現状です。

このような状況を考慮しながら、待機児童の解消という観点から、改めて世代間交流施設の可能性を考えてみます。

介護事業者が行う世代間交流施設は、就労と保育とを一体化して提供されるものになります。2709か所の介護事業者が、小規模保育、ないしは事業所内保育の場を設置することで、非常に効果的に待機児童の解消に貢献できる可能性があるのです。しかしそれでも、100万人という数字を解消するには遠く及ばないのが現実でしょう。

保育・介護スタッフの成り手の限界

さきに述べたように、今後日本の出生率が毎年2～3％ずつ減少していくのに対し、高齢者数は、現在の３１９０万人から、２０４８年には３８００万人にまで増加し続けるとされています。高齢者が増えることは、必然的に介護施設も増えるということになります。

逆にいえば、介護施設の増加を、世代間交流施設を増やすきっかけにするという考え方もできます。

社会が少子化に向かっているときに、大規模な予算をかけて、新規に大型認可保育所を設置することに躊躇する自治体は少なくありません。その点、増え続ける介護施設に保育を併設することは理に適っているともいえます。

介護施設に保育の場を設置することで、介護スタッフの確保がしやすくなり、潜在待機児童の問題も解消できます。それは、介護と保育のダブルケアの解消にも一役買うことができるかもしれません。介護事業者は、介護スタッフの長期就業のためにも、保育の場を設置することに予算を確保すべき時代になっているといえます。

ただし、もう一つの問題は、人材の確保です。介護の現場も保育の現場も、人材の確保に四苦八苦しているのが現実です。待遇の改善が叫ばれてはいますが、一朝一夕で解決できる問題でもありません。しかし、いずれの施設にとっても、優れたスタッフの確保と、長期間就業可能な環境をどう整備していくかは大きな課題です。

優れた保育士や介護職を集めるには待遇面での改善も必要です。その端的な例が給与です。敢えてここで指摘することでもありませんが、ことあるごとにその改善が指摘されているにもかかわらず、保育士や介護士の給与体系は一向によくなっていません。

その結果なのでしょうか、全体の54・9％が進学志望する四年制大学生（四大生）の就職の選択肢に、保育士や介護士は入っていません。あくまでも一般的にですが、「就職先の抑えとして、とりあえず教職だけは取っておいた」という会話はよく耳にしますが、「とりあえず、保育資格でも取っておこうか」、「せめて介護資格ぐらいは取っておこう」などという会話はまだ少ないのです。保育士、介護士の多くは、全体の22・4％が志望する短大生・専門学校生（うち、短大が5・4％、専門学校が17％）によって支えられているというのが現状なのです（2014年の旺文社教育情報センターの統計より）。これからさらに加速する少子高齢化社会に向けて、保育士や介護職は、成り手としての人数枠そのものの絶対数が足りないのです。

これは一つの例えですが、やはり、四大生の就職選択肢の一つに数え上げられるようにならなければ、保育や介護全体の量的質的底上げにはなりません。

世代間交流施設を充実させていくために

待遇面での条件が改められたとしても、すべての介護施設に保育所を設置することは簡単ではありません。現在、さまざまな形の世代間交流施設が存在していますが、どのような世代間交流のあり方が自分の施設には相応しいのかを、それぞれが検討してみる必要性があります。事業者の規模にもよりますし、現状の制度では、限界が存在すると思われるからです。

その理由の第一は、「一つの建物に二つ以上の施設を併存させることが、実際的には困難が伴う」からです。その根拠は次のようになります。

①立地条件として、介護のニーズはあるが、保育のニーズがない。世代間交流施設は、どこにでも設置できる施設というわけではない。介護施設の場合には、駅の近隣にある必要はなくても、保育所の場合には親の通勤路上にあることが求められる。都市部の場合基本的には、駅に隣接している地域のほうが需要は大きい。

②介護事業と保育事業の両方を経営できる事業者が限られている。実際に両方の事業をやってみると、保育事業のほうがハード面の基準とソフト面の量においては、はるかに難しい。今回取材した施設の例を見ても、介護事業の場合には、18室に18人の介護士ですむが、保育施設の場合には、102名の園児に35人の保育士が勤務している。さらに、管理能力を必要とするマネジメントをする人材も必要。

③介護事業は幅が広く、地域の需要にそった施設の設置が可能。保育事業は、大きく分けて認可保育所、小規模保育所、認定こども園の3形態しかなく、選択肢が少ない。これに比べる

と介護事業には、47種類ある。事業としての選択肢に幅があるので、その地域の需要に応じて事業が展開できる。

第二の理由は、「同じ建物で両方の事業ができる制度上の条件が揃っていないこと」です。たとえば、調理場や玄関を両施設兼用にして一つにすることは、いまのところ、制度上認められていません。原則として、別々に設置するように定められています。これに関しては今後変わっていくかもしれませんが、こういったさまざまな制度上の問題が事業の併存を難しくしています。

以上のことを考慮すると、あくまで現状で、ということですが、保育事業者が世代間交流を行うのであれば、もっとも簡単な方法は、園児による介護施設等への訪問です。保育園児が定期的、あるいは行事に応じて、近くにある介護施設を訪ねる訪問型交流です。実際に多くの保育園や幼稚園で行われていることですが、本書で取材した八王子ふたば保育園のように、より積極的に行っているところもあります。園児の訪問日にはデイサービスの利用者が増えるという事実から見ても、お年寄りが積極的に施設を利用するようになるという効果があります。制度や規模、地域にしばられない、どの保育施設でも可能な交流の形態でもあります。

とはいえ、世代間交流を行うにあたって最も適しているのは、やはり介護施設です。人口減は止まりませんが、高齢者は増え続けます。労働人口の減少はどの業界でもおなじですが、介護職の確保はさらに難しくなることが予想されます。介護事業所内に保育を設置することによって、スタッフは働きやすくなりますし、事業主も人材を確保しやすくなります。小規模保育であれば、19人までの保育が前提になるので、事業主の経済的負担や運営面の負担も少なくなります。既存の介護事業者も含めて、これから新規で開設する介護事業者こそ、どんどん保育を併設していくべきだと思っています。

世代間交流が生み出す影響

まだまだ段階を踏んでいかなければならない状況だとしても、世代間交流施設は増えていくべきだと考えています。

序章にも書きましたが、世代間交流施設の存在は、高齢者問題の解決に一役買うだけでなく、子どもの教育にとっても大きな意義があるからです。

高齢者には、子どもとの時間や空間の共有によって、新たな役割が生じます。また、なにより
も子どもの存在があるだけで、施設全体に華やぎが生まれ、雰囲気が明るくなります。

子どもにとっては、高齢者との交流によって、お年寄りに対する敬う気持ちやいたわりの心を育て、さまざまなお年寄りの知恵を学べます。世代間交流施設でお年寄りに見守られてきた子どもたちは、他人と信頼し合える人間関係を身につけます。そこには安心が生まれ、安心があるか

らこそ、子どもは自発的に活動できるようになっていきます。お年寄りとの共同生活の中で、子どもたちは社会性を身につけていくのです。

また、世代間交流施設にいることで、子どもと高齢者には次のような変化が生まれます。

①人間関係がよくなることで社会力が向上し、自発性を持ち、社会参画を促進する。自分の殻に閉じこもりがちだった人が自信を取り戻し、積極的に人前に出て来るようになる。

②精神衛生が向上することにともない養護力が向上する。養護力、すなわち子どもを守ろうとする気持ちや相手を敬う気持ちが育まれる。独りよがりになりがちな高齢者が社会に戻ってくる。

③身体機能の向上とともに行動力が増し、人との交流が活発になる。他人に助けられたり助けたりすることが苦にならなくなり、あたりまえのコミュニケーションを取り戻す。

現在、日本全国には、おおよそ2万4000か所の保育所と10万か所の介護施設があります。これらの施設を上手に結びつけることによって、日本全体の社会力を向上させることができる、と私は確信しています。先述のように、2048年には日本の高齢者数は3800万人を超えると予測されており、そのときの高齢者比率は40％に迫ることになります。

2048年には、私自身も高齢者となっています。今、この本をお読みのみなさんも、ご自身の年齢に32年を足して考えてみてください。あなたも高齢者となっているはずです。そのときの現役世代は、まさにいま、保育されている子どもたちなのです。

子どもたちと高齢者がいい影響を与えあい、待機児童の解消にもつながる世代間交流を、より積極的に推し進める時にきているのではないでしょうか。

本書の発刊が、そのきっかけになれば幸甚です。

貞松 成

世代間交流施設の挑戦

2016年7月10日　初版第1刷発行

編著者　一般社団法人　日本事業所内保育団体連合会

発行者　渡辺弘一郎

発行所　株式会社あっぷる出版社
〒101－0064 東京都千代田区猿楽町2－5－2
TEL 03－3294－3780　FAX 03－3294－3784
http://applepublishing.co.jp/

装　幀　クリエイティブコンセプト

編集協力　阿部孝嗣

組　版　Katzen House　西田久美

印　刷　モリモト印刷

定価はカバーに表示されています。落丁本・乱丁本はお取り替えいたします。

あっぷる出版社の既刊本

貞松成 著

小規模保育のつくりかた　待機児童の解消に向けて

定価：本体１６００円＋税／ISBN978-4-87177-325-6

待機児童解消の切り札となる地域型保育事業。その中でも、最も現実的な方法である定員19名の小規模保育事業の仕組みから設立運営まで、豊富な事例を元にそのすべてを解説する。

藤野絢 著

在宅介護の25年　先天性脳性マヒの兄と歩んだ歳月

定価：本体１６００円＋税／ISBN978-4-87177-326-3

キャリアを捨て、重度身体障害者の兄と生きる道を選んだ女性の激動の日々を綴る。ともすれば孤独で先が見えない状態に陥りがちな介護生活をどのように過ごしてきたのか。